「バカになれる男」の魅力

潮凪洋介
Yosuke Shionagi

三笠書房

・図太い精神力と行動力がある
・ケジメがつけられる
・人を楽しませることができ、自分も楽しむことができる
・自分を笑い飛ばせる

こんな男になってみたいと思わないか。

たとえ失敗するかもしれなくても、自分が心底やりたいことには挑戦したい。失敗は後から挽回すればいい。

「夢なんて青臭い」という人間よりも、一生自分の夢を追い続け、後に続く後輩たちにも熱く生きることを説く人間でありたい。

死ぬまで本当に大切な仲間たちと強い絆をつくりたい。

何者にも縛られず、媚びず、自由に生きていきたい。


本書は、そのための「自分のカラの破り方」を考える本だ。人間として、男として大きくなるために、私自身がたくさんの人に出会って学んだこと、失敗をくり返しな

がらつかみ取ったことの具体例も多数紹介している。

恥はかいたもの勝ちだ。
小さなプライドは早くに捨てれば捨てるほど、物事がうまくいく。
人から後ろ指を指されたときこそチャンスだ。
自分の小ささと滑稽さを自分で笑い飛ばしてしまえ。

断言しよう。大きくなるのは、圧倒的に「二枚目の男」よりも「三枚目」の男なのだ。人から何を言われても気にならないくらいに熱中するものを持ち、いざというときに捨て身の体当たりで勝負できる男だ。

この本が、あなたが望む一歩を踏み出すための原動力になることを願ってやまない。踏み出してしまえば、必ず新しい世界の虜《とりこ》になるはずだ。

人生を変えるためのきっかけとチャンスを、ぜひ自分のものにしてほしい。

潮凪　洋介

もくじ

1章

【男の哲学】「バカになれる男」の人生は必ずうまくいく

2章

【男の仕事】
結局、勝つのは〝はみだす勇気〟のある男

3章

【男と女】一生、モテ続ける男のルール

4章

【男の魅力】何者にもしばられない「自由」を手に入れる法

5章

【男の人間関係】

「人を見る目」のある男、ない男

6章

【男の夢】でかい夢を描く、磨く、現実にする

1章

【男の哲学】

「バカになれる男」の人生は必ずうまくいく

「つまらない男の群れ」に安住するな

誰だって毎日努力をしている。

よりよい人生をつくるために耐えるべきことに耐えて、目の前の仕事に一生懸命に打ち込んでいる。しかしそうやって日々を過ごすうちに、私たちはある大切な部分をなくしてしまう。それが**「人としてのおもしろみ」**である。

かつては、男女問わず「カッコいいなあ」「あんな生き方ができたら」と思わせることができた男性でも、無我夢中で仕事をしているうちに「働きすぎ」「ストレスのためすぎ」によって少しずつ「つまらない男」へと劣化する。

ここでいう「つまらなさ」とは、表情がかたい、笑わない、サービス精神がない、元気もない、自分から話題も切り出さない、当たりさわりのない話しかしない、仕事の話以外できない、色気もない。

そういう状態のことだ。

なぜこうなってしまうのか？

仕事以外の思考や感性が退化してしまうからだ。仕事をすればするほど、会社に染まれば染まるほど、おもしろみが消えていく。

反対に、仕事を通じて目に力がこもり、おもしろみが強化される人もいる。大好きな仕事に没頭し、大好きな仲間に囲まれ、未来に希望を持つ人はこの部類だろう。

自分も楽しみながら、誰かを楽しませるための心の窓も開く。プライベートにも貪欲で、もっと人生を充実させようと、社外でも楽しい場づくりを心がける。

あなたがそうなら何の問題もない。

しかし、環境が合わない、仕事が合わない、ストレスに苦しめられる――そのような日々を送っているとしたら、あなたの魅力は仕事によって確実に削ぎ取られる。給料と引き換えに、あなたはどんどんつまらない男に劣化してゆく。

残酷な事実をここで述べよう。

あなたは今までに、何千回も「一緒にいておもしろいか？　おもしろくないか？」で判断されてきている。「おもしろい」と好意を持たれたこともあれば「つまらない」と切り捨てられたこともあるかもしれない。

今の人生はその結果ということになる。

恋愛も仕事も友達関係も「人としての魅力」が明暗を分ける。たとえば恋愛ができない、結婚できない男性には「おもしろみがない男性」が多い。

9割がそうといっても過言ではない。

なんとしても自分のおもしろみを死守し、育てないといけない。

「〝おもしろみ〟なんて抽象的なことを言われても。そもそも、僕はそんなキャラじゃないし」

「バカになる？　個性を持つ？　僕は別のところで勝負しているから関係ないね」

そんな気持ちになった人もいるのではないか。

「おもしろみ」だなんて、青臭いことを言っている、と思っただろうか。そんなムダなことより、営業成績を上げることのほうがはるかに大切だと感じただろうか。

もしそうならこの時点であなたは危ない。

すでに絶滅危惧種の群れに片足を突っ込んでしまっている。

たとえば、一緒にいて居心地がいいと思われない。相手を笑顔にすることもできない。大の大人になってまで、この「ソフト」を持たないのは実に残念である。まるでコンピューターに魅力的なソフトが入っていないようなものだ。つまり、見た目は立派でも機能のないただのハコでしかないということ。

学歴があろうと社会的地位があろうと金持ちだろうと、この部分が足りなければ人は自分に満足できなくなり、自分自身を「みじめだ」と感じる。そんな自分から目をそらしたくなる。

しかし、もう臆病風に吹かれているヒマはないのである。

さんざん脅かすようなことを書いたことはお詫びしたい。

しかし私はあなたに幸せになってほしい。

もっともっと、自他ともに認める「おもしろみ」を強化してほしいのだ。それにより人生でたくさんの得をしてほしい。

今、自分のまわりを見回して、魅力的な男、あるいは女がいないと感じるのなら、一刻も早くそこから離れるべきだ。すでに、おもしろみのない人間たちの群れに埋もれそうになっている。

自分が「魅力的な男の集団」の一員かどうか、見分ける方法は簡単だ。魅力を放っている男たちは、間違いなく女性が放っておかない。内面的にも外見的にも魅力的な女性たちが、勝手についてくるのである。

本書を手にとる読者は、向上心も高い能力も持っている。

しかしせっかくの能力を活かし切れていないのではないかと思う。あるいは人生を楽しみ切れていないのではないかと思う。今の自分を100％肯定できていないのではないかと思う。

もし、あなたが「おもしろみ」を身につけることを真剣に考え、そのための行動を始めたら、怖いものは何もない。人生には繁栄の二文字しかなくなるのである。

「おもしろみのある男」の後には、勝手に人がついてくる

「はみだし」のひとつやふたつは持つ

バカになれない人——彼らの特徴は**「はみだした魅力」**をひとつも持っていないということだ。きちんとしていて、検品でひっかかるような「崩れ」は何もない。極めて安全で信頼のおける人柄、そして風貌、さらにはライフスタイル。他人に気を遣うこともできる立派な大人である。

「すべて正しい」と評価されておかしくないはずである。

「はみだし」などというのは本来「ムダ」なものだ。

親も学校も「きちんとした人間」を育てようと口を酸っぱくして「ああしなさい、こうしなさい」と言ってきた。その言いつけをしっかり守って大人になる。

そこに間違いはないはずだ。

しかし、はっきり言うと、その「はみだしのなさ」が人生の致命傷になる。

こんなことを言うと、

「ちゃんと言われた通りにやってきたのに、そんなはずがない」

という反発を受けるかもしれない。だが、一度でも社会に出たことがある人なら、

「言われたことしかできない人間」が評価されないことは知っているはずだ。さらに、優等生で通してきた人が思いのほか女性からモテないことを思い知らされ、はみだした人が人生を謳歌している姿を見て愕然とする。

「正しすぎる生き方」が敗北感の原因になってしまうのである。


実に不条理である。しかしこの不条理こそまぎれもない「現実」なのだ。

はみだした魅力を持たない人は、まわりから見向きもされないのだ。ここでギクリとしてしまったかもしれない。しかし不安をあおりたいわけではない。

「はみだし」がどれほど大切なものかをわかってもらいたくて、あえてこのような言い方をしたのだ。

少しでも不安に思った人は、今からでも「はみだした魅力」を身につければいい。

「ユニークだね」
「君みたいな人には会ったことがないよ」
「バカみたい（笑）」
「普通は思いつかないね（笑）」

相手からそんなコメントを引き出すことができるような「行動」「ライフスタイル」を意識して取り入れてみるのだ。ポイントはひとつ。**誰かに見せるためではなく、自分のために「はみだし」を楽しんでみる。**

言うまでもないが、人に迷惑をかけたり、違法なことは絶対にダメだが、「今までやろうと思っていたけど、どこかであきらめていたこと」「これができたら心からスカッとするだろうと思うこと」に挑戦してみよう。

私は新入社員の頃「キャンピングカー」に住んで、毎日違う場所から出勤しようと計画したことがある。その計画を立てること自体が楽しくて仕方なかった。

おそらく東京中でもそんな人はいないだろうと思うとワクワクが止まらなかった。

今思えばバカなことかもしれないが、そのときには本気でそう思っていたのだ。

総務部に提出した「住所変更届け」に「キャンピングカー、都内各所」と記載した。するとと個室に呼ばれ「会社をなめているのか？　住所不定はダメだ」とダメ出しされた。それ以来、先輩や知らない部署の人まで、僕を「あ、キャンピングカーの人だ！（笑）」とおもしろがってくれた。

中には「その発想と、本当にやろうとする行動力がすがすがしい」と話しかけてくれる先輩まで現われた。実に愉快な日々だった。

ほかの人からどう思われるか……と思ってビクビクするよりも、自分のやりたいことをひとつでも貫いてみたらどうだろうか。

それは自分に自信をつけるための一歩でもある。そうやって日々、自信を貯金して積み重ねていくうちに、男は自分を磨くことができるのだ。

きれいな枠におさまらない「はみだし」にこそ魅力は宿る

本物の「教養」とは？

いい人生を送りたいのであれば悪いことは言わない。

「バカ」という「教養」を身につけるべきだ。

この「バカ」と呼ばれる側面を持つことで仕事も、家族関係も、恋愛も、そして未来もとたんに劇的に輝きだす。

「バカになれる」――それだけで男の人生は何倍も輝き、物腰は自然体で軽やかになり、年収だってアップする。

なぜそんな変化が表われるのか？

いざというときに「バカになれる」というところを見せることで、周囲からのあなたへの評価は180度変わってくるからだ。今まであなたの存在を重視していなかった周囲がとたんにあなたの「ファン」になるのである。

男は「バカになれる」ことでよりいっそう人間としての幅が広がり、ランクを上げることができるのだ。

「バカになれない」ことが、なぜ「教養を持たない」ことの何倍もの劣等感をもたらすのか？

なぜなら、自分の可能性をすべて出し切らない、不完全燃焼の人生になってしまうからである。いつも「何かが足らない」「こんなはずじゃない」「本当の自分はこうじゃない」といった悶々とした気持ちに支配され、もう一人の自分からチクチクと自分の生き方にケチをつけられ続けるからだ。

バカになれないからといって、なんら間違いを犯しているわけではない。

しかし**「真面目に頑張っているだけでは何かが足りない人生」になってしまう**のだ。

電子部品メーカーに勤務するある男性は、中学受験で難関の学校に合格、大学受験でも難関といわれる大学に合格した。大学時代は家庭教師のバイトとスポーツ同好会に所属し、4年間で一人の恋人と出会うことができた。その後、電子部品メーカーに就職し、真面目に勤務し、誰にも迷惑をかけずに日々を過ごしてきた。

これまできちんと努力を続けてきたし、信頼できる友人たちとの関係を築き、伴侶を得た人生に間違いはなかったはずだ。

しかし、心の中に「本当にこのままでいいのか？」という焦りが生まれはじめた。

逆境の中で仕事をしている人たちのほうが、自分よりもはるかに輝いた人生を送っているように思えて仕方なかった。

学生時代には教師から眉をひそめられ、「あいつはダメだ」と言われていたような人たちが、社会人になったとたんに花開き、とことん仕事に熱中して自分にしかできない分野を開拓し、それを武器にメシを食っている。かかわる人を楽しませ、自分の人生も楽しみながら毎日を謳歌している。

そんな彼らと自分を比較して、劣等感を抱いてしまったのだ。

おまけに彼らは女性からはめっぽうモテ、いつも美女に囲まれている。

優等生な人生だけでは得られない、まわり道をしたからこそ手に入れた立派な「教養」を持っている。学歴や知識「しか」なく、小さくまとまった人間よりもよっぽど楽しい人生を歩んでいる。その一方、バカになれない人は「すべて」を持っていても生きづらいものである。

そのことに気づいてしまったのである。

いざというときにセコいプライドが捨てられるか。

いざというときに腹をくくって勝負に出ることができるか。

いざというとき周囲の人を巻き込むようなリーダーシップをとることができるか。

大人になってからは、これらができなければ、本当の意味で人から信用されることは難しい。

今の自分にそれができないと思う人は、今こそ自分を変えるときだ。しかし、何も難しいことをする必要はない。

仕事漬けの日々で萎縮した「いびつな心」を解き放ち、本来の伸び伸びとした心に戻せばいいだけのことである。

今からでも遅くない。「バカの教養」をしっかり学び直そう。

それがあなたの人生の葛藤を取り除く最後の手段である。

「何か物足りない」と思いながら残りの人生を過ごすのか。
「自分にはやりたいことが数え切れないほどある！」とワクワクしながら年を重ねるのか。ここが分かれ目になるのだ。

「バカになれるか」「なれないか」……これからの人生は〝ここ〟で決まる

不健康そうな顔をしている男は相手にされない

私には長年つき合っている仲間がいる。全部で20人。全員同級生だ。40代を過ぎ、あることに気づく。

それは2種類の男にいつの間にか分かれてしまっていたということだ。

一方は「明るくよく笑い、いくつになっても周囲からツッコまれたりいじられたりする」タイプ、そしてもう一方は、その逆で「クールで、あまり笑わない、プライドが高い、二枚目キャラ」のタイプである。

これらのタイプには共通点があり、なぜか明るいキャラクターの男性は心身ともに健康であり、カッコつけプライドキャラの人は、どこか不健康なのである。

会社の検診にひっかかったり、通院していたり、ストレスを多く感じているのは「クールを装う二枚目キャラ」あるいは「プライドキャラ」のほうなのである。

「いじり」「ツッコみ」をされると真顔で怒り、自分をさらけだすことができない。

隙を見せたくない後者の人たちは、なぜかいつも苦しそうで、心まで病んでしまっている。一方まわりから笑われても何を言われてもどっしりと構えている男たちは肌ツヤもよく、快活で声も大きく、酒で悪酔いしない。すべてが健康なのである。

健康に快適に人生を過ごしたいのであれば、断然、**カッコつけてクールぶるより、自分のダサいところもカッコ悪いところも見せられる、肝の据わった男を目指すべきだ。**


私自身、ある日、身をもってこのことに気づかされた。

男性向けのハードでストイックな内容の本を書くときは、無意識に眉間にシワがより、難しい顔をするようになる。無礼な相手には戦闘モードになり、つい人に対してキツい言い方をしてしまったり、普段よりも笑われること、いじられることに敏感になったりする。

何かを許容し、笑い飛ばし、ゆったり構える心の余裕が失われ、すべてに真っ向勝負のスタンスになってしまうのだ。行動も思考も常に「最短距離」を目指し、ムダが許せなくなる。「思った通りにものごとが進まない」ことがとても苦痛になるのである。柔軟性を失った状態ともいえる。

ひとつのミスに対して自分を責め、あるいは誰かを責める度合いが強まり、自分にも他人にも厳しすぎる状態になる。体中がガチガチに固まって、深くゆったりと呼吸することを忘れ、体に十分な酸素がまわらなくなる。

これが長く続けば顔色は悪くなり、体も重くなる。風邪は悪化し、腹は重苦しくなる。まさに「未病」の状態である。

ある日、これはまずいと方向転換した。仲間を集めて酒を酌み交わしながら、自分本来のリズムを取り戻そうと、積極的に笑われ役も買って出て、誰よりもその場を楽しんだ。

たくさんの酸素を吸収し、横隔膜をたくさん動かした後の爽快感で、その翌日はまったく違った気持ちで仕事に再び向かえるのである。

その直後に執筆した文章のクオリティーは格別だった。

「〝三枚目の自分〟を演出し、それを楽しむ」——これには萎縮した心、萎縮した体を解放し、柔軟に解きほぐす効果があるのだ。

最近タクシーで移動したときのことだ。健康の見本のような運転手と出会った。

「いや～昔ね、競馬場ですってんてんになって、家まで40キロ歩いて帰ったことがあるんですよ。ははは！」

笑いジワの刻まれた横顔で、大口を開けてとても楽しそうに笑う。人生を楽しんでいる人にしかできない笑顔だった。

70歳。体中健康でどこも悪くないという。

(幸せそうだな)

僕は一瞬でその運転手のファンになってしまった。

「おいくつのときですか?」

「60歳のときですよ」

「最近じゃないですか！(笑)」

そこからまた5分くらい大笑いする話が続いた。タクシーを降りたときには頭もスッキリ。笑いジワが刻まれた運転手の横顔を、まるで友達と別れるように見送った。

こんなはみだし方があったっていいじゃないか。この運転手は、きっと他人に弱みはひとつも見せられないようなリッチな経営者の100倍人生が楽しく健康であろう。
またいつか乗車してほかのレジェンドをいくつでもお聞きしたいものである。

自分を笑い飛ばす度量のある男は、いつまでも健康でいられる

「存在感のない男」に共通すること

バカになれない人はとにかく自意識過剰である。

「周囲の人に迷惑をかけてないか？」

「ここで余計なことを言うと恥をかくのではないか？」

と、大小の心配ごとを常に抱えて苦しんでいる。

その結果、声が小さく聞き取りにくくなる傾向がある。

さらにいうと、この手の人は声と会話に抑揚がない。

楽しいのか、うれしいのか、感動しているのか、あるいはつまらないのか、そういった自分の感情を心のままに表現する力が乏しいのだ。

その結果、他人から「何を考えているのかわからない人間」に見えてつまらないのである。

声が小さく、抑揚もなく、その上、表情が乏しいと、周囲は必ず困惑する。「聞き直さなければ、何を言っているのか聞き取れない」「一生懸命耳を澄まさないといけない」。それは見方によっては「小さな迷惑行為」だ。

「控え目だから仕方ない」ではすまされない、マナー違反である。

周囲は普通の人とは違った対応をしなければならないのだ。まわりに余計な気を遣わせてしまっている。

「もう一度言ってくれ」と相手から言われたことがある人は、心して聞いてほしい。

声は生き方を表わし、心を表わす。

自意識過剰な自信のない人は自分のカラを破ることに「恐怖」を感じる。ここまで生きてきて築き上げたものを、いったんすべて破壊しなくてはいけないからだ。

しかしそんな小さな自分などは、邪魔な「遺物」でしかない。これまでの自分をいったん更地に戻して、その上に新しい建物をたてる。それぐらいのことをしなければ小さく萎縮した心、そこから発せられる「か細い声」は一生変わらない。

大きな声で間違った発言をしたところで、何か失うものがあるだろうか。

聞き取れないほどの小さな声で「そう思います」としか言えない男よりも、100倍魅力的ではないか。

失敗しても、ときに笑われても、声を出すときは腹の底から出すと決める。

そう決意したとたん、あなたの声、そして乏しい表情は劇的に変わっていく。

もう周囲に余計な気を遣わせることも、イラつかせることもなくなるのである。


腹の底から声を出すだけで存在感は増強される

「マナーの優等生」がしてしまう失敗

社会に生きるうえでマナーを守ることは必須である。

マナーが悪い人間はそれだけで社会の隅に追いやられる。トラブルが発生したり、人に嫌われたりするので、たとえ能力があっても、それ以上前にも上にも進むことはできない。どんなに優秀でも民主主義の世の中では生きられない。

本来、よりよく生きるための通行手形であるはずの「マナー」。

しかし、**この「マナー」によって、反対に魅力を損なっている人がいる。**

極めて前向きに、素直な気持ちでよかれと思って「マナー」を心がけ、マナー違反をしないように心をくだく。そのような人は「マナーの被害者」になる傾向が強い。

マナー中毒とでもいおうか。自分で自分の魅力を削ぎ落とし、幸運になるチャンスを遠ざけてしまっている。

「不幸なマナー中毒者」とはどのような人なのか？

初対面のときに礼儀正しいのはいいことだ。しかしその後もそれ以上の関係に踏み込めない。いつ会っても話題にバリエーションがない。

周囲に何も害は与えていないし、本人に悪気もないのだが「ここぞというときには選ばれない」というみじめな結果になる。

彼らにはもうひとつの側面がある。

いつどんなときであっても**マナーに縛られ、個性を発揮できない**ということだ。

周囲に気を遣いすぎて自分の意見が言えない。何が食べたいのか、どうしたいのかを聞かれても「自分は何でも大丈夫なので」という返事しかできない。

こんな人たちは、結局、自分の頭でものごとを考えられなくなっている。「人に迷惑をかけない」がすべての思考の軸なのだ。

そこに「いかに楽しませるか？」という前向きな発想はない。臨機応変にどんな話題を出すべきかの判断ができないのである。

それが「害はないが味のない人」をつくる原因となる。

「これが性格なのだから……今さら変えられないよ」

そうやって自分の限界を勝手に決めつけてはいけない。

新しい性格は、新しい行動をくり返し、脳に刷り込むことでつくられる。大人だろうが性格は後天的に変えられるのだ。それができないのは勝手にそうと決めつけているからに過ぎない。マナー通りにしか振る舞えず、周囲を退屈させるのは、立派な社交上のマナー違反である――この事実からも目をそらしてはいけない。

もちろんどう生きるかはその人次第だから、私が声を大にして「もっとバカになるべきだ」「自分のカラを壊せ」とすすめても、大きなお世話かもしれない。

しかし、この本を手にしたということは、今が人生で大きなターニングポイントなのだ。

相手はきっと「どうせマナー通りの反応しか返ってこない」と思っている。

ならば、その想像を裏切ってみよう。

「いや、僕は違うと思うな」

「俺はこっちのほうがいいな」

「今度○○に行ってみようよ」

ひとつでも、オリジナルの「口答え」をしてみることだ。

小さなことで構わない。

幸い、あなたは今までの「マナーの貯金」があるのだから、すぐに生意気だと思われたり、やっかい者扱いされることはない。

そこから、豊かで創造的な人間関係が始まっていくはずだ。

誰も傷つけない「マナー違反」で相手の心をつかむ

いざというときの「攻撃力」を持っておく

戦うべきときに戦えない人は、人生に必ず悔いを残す。私はそう考えている。「あのときああしていればよかった」「正面から向き合っておけばよかった！」過去にそう思ったことがないだろうか。臆病風に吹かれ、しっぽを丸めた記憶は何十年たっても心を苦しめるのだ。

もちろんいつでも臨戦態勢、ケンカ上等な生き方などは不毛でしかない。意味なく相手に噛みつく人は「不機嫌で厄介な人」「面倒くさい人」。誰も相手をしてくれなくなり、「かわいそうな人」として隅に追いやられる。

そうではなく**「ここぞ」というときに限り、「自分や大切な人を守るため」に、後先を考えずに戦うというスタンスを持つべきだ**と言っている。

まず、筋が通らない、納得できないと思う場面に遭遇したら、冷静に意見を言う。

自己主張をする。できれば明るく朗らかに。必要以上に事を荒立てることなく、事態を変えようと試みる。

そんな習慣をつけてほしい。

これを常にくり返していれば、自分の意思をうまく伝える習慣が身につく。そして大事に至る前に、たいていのことは調整がつく。

さらには、もっと深刻な事態に陥ったときにも、自分の意見を躊躇《ちゅうちょ》なく言うことができるようになる。悪意のある相手に不当に扱われたり、不本意な攻撃を受けたときにも、その場でしっかりと論理的に反論できるのである。

「できるだけトラブルは避けたいから、我慢することは必要」

世の中にはもちろんそう考える人もいる。

しかし、いざというときにまわりの目ばかり気にして戦えない人は、実のところ誰からも信用されない。泣き寝入りする人は、人生のあらゆることをあきらめるクセがあると見なされるからだ。

部下や後輩たちからは、「この人はどうせ、いざというときに逃げるだろうな」と思われ、上司や上の立場の人たちからは「自己主張ができない人」と思われる。

だまされたらだまされっぱなし、いじめられたらいじめられっぱなし——悔しい思いをしているのにその原因をはねのけようともしない。

不当なことは不当だ、ときちんと訴えれば変わることがあるかもしれないのに、それを放棄することはただの無気力である。


さらにはもうひとつ。周囲から信用されないだけではなく、一番問題なのは、自分で自分を信用できなくなってしまうことだ。

そうなった人は自滅する。自分に自信が持てないと、人生の土台そのものが揺らぐことになる。「戦って負けた」ことよりも、「逃げた」ということは、特に男にとって忘れられない記憶になってしまう。

勘違いしないでほしい。**「勝つこと」が目標ではない**のだ。悪意を持つ相手になんらかの主張をぶつけて、「こいつは手強いな」「こちらが改めないとまずいな」と思わせることが重要なのである。

ある会社で、上司から日々叱責を受ける男性がいた。その内容は、仕事上の注意にとどまらず、人間性まで否定するもので、決して許されることではなかった。

一方で、その上司は仕事で成果を上げていることも事実。周囲からは実力者とみなされていた。

だが、男性は決して泣き寝入りをしなかった。ほかの人が見ている前で、勇気を振り絞って戦った。「お前は騒ぎを起こす面倒な社員だ！」「仕事で一人前の結果を出してから文句を言え！」そんな悪口を浴びながらも、言うべきことは言った。

世の中、１００パーセントの正解があるわけではない。この男性の対応は「間違っている」と言う人も世の中には確かにいるかもしれない。

しかし、それでも大切な自分の誇りを守るために戦ったことは、私は正しかったと思う。

戦うことが怖いと感じる人はこう考えてみよう。

この平和な日本で、会社の中で正面きってやり合ったところで命は取られない。虚像におびえてはいけない。あなたが恐れている相手など、あなたを殴り倒す力すら持っていないのではないか。「会社を辞めさせられたらどうしよう」と思ったところで、相手にはあなたを会社から追い出す力もないのではないか。

暗闇のお化けを怖がるような臆病な思考回路を追い出し、しっかり顔を上げよう。

勇気を出して戦い、守った誇りは、それが100パーセントの支持を得られるものではなくても、死ぬまであなたを支え続ける。

「あのとき、俺は逃げなかった」それが一生の財産になる

「謙虚になる」と「卑屈になる」の分かれ目

「謙虚さと卑屈さ」をはき違えている人がいる。

これはたいていつまらない男である。

たとえば、仕事中であれば「もしかしたらおもしろくないかもしれませんが」「期待に応えられるかわかりませんが」などと言ってからプレゼンする。

これでは聞くほうは、話を聞く前からシラけてしまう。なぜ、わざわざつまらない話を聞くために時間を割かなくてはいけないのだ、と思う。

プライベートでも同じことが言える。

わざわざ「おもしろいことは言えないんだけど」とか、「あまりこういう場は慣れていないんだけど」とか、「人見知りで自己紹介が苦手なのですが」と言ってから話す。

これもまた聞くほうは最初からシラける。

本人は「謙虚なつもり」であっても、周囲には言い訳にしか聞こえない。

いかにも「そんなことないですよ」と周囲にフォローさせるための「自虐」でしかない。その言い訳が「ダメな部分には触れないでください」という逃げにも聞こえる。

少し残酷な表現かもしれないが、あえて言おう。

このような周囲をシラけさせる「周波数」を持つ人がどうなるか。

最終的に、暗黙のうちに、水面下で、気づかないうちにのけ者にされる。

「あいつはいまひとつだな」という烙印《らくいん》を押されるのだ。

もし自分のスピーチに自信がなく、発想もユーモアも乏しいと思うのなら、せめて声を大きくし、威勢よく言いたいことは言い切る。

その結果の苦情は、「本当にすみません！」と正面から受け止めるしかない。「話がつまらないなあ」「君の話はあいかわらず長いね」と言われたら、しめたものだ。

「話が長くて申し訳ありません！　さらに長くなりますが、最後にこれだけ説明させてください！」

「え〜あいかわらず話がつまらないと定評がある○○です（笑）。言いたいことがまだ終わっていないので、あと少し続けさせてください！」

中途半端な言い訳ではなく、「自分の弱点」について周囲が言及する機会をつくる。

弱点をあっさりと自分で認めて、堂々と振る舞う。**触れられたくない欠点をその場の最大の売りにしてしまう**のだ。

開き直った態度を見れば、周囲の人も「仕方ないなあ」「またか」という顔をしながらも、受け入れてくれるはずだ。

「つまらないと思ったら、つまらないと言ってもいい」という状況をつくることで、まわりの人たちはイライラや怒りを心の中にため込まないですむ。

あなたにとってもいいし、周囲の人にとってもいいことずくめなのだ。

卑下する男は「面倒くさい」と思われて終わるが、謙虚な男は「話は少々ヘタでも腰が低くて動じない」と思われて愛される。

これができれば周囲からの扱いは必ず変わる。

本当に謙虚な人は、〝ダメな部分〟をコミカルにさらす

気づかないうちに「無粋な男」になっていないか

ここまで書いてきたが、「バカになれないこと」は決して悪ではない。

もちろんバカにならなくても十分生きていける。しかし「バカになれない男」には致命的な欠点がある。自分では、もしかしたら気づくことができないかもしれない。

それは無意識のうちに**「周囲を盛り下げる」**ということだ。

たとえば、酒の席などで話が盛り上がり、互いの距離を縮める無礼講ともいえる場面がある。そんなときに、かたくなに「くだらないと思います」「いえ、僕は興味ないので」と話の流れを壊す人がいる。

近頃の風潮として、「無理に合わせる必要はない。自分は自分だ」というものがあるかもしれないが、それは傍《はた》から見ていれば、「ああ、偏屈な人だな」と思われて確実に損をしている。

「みんなで踊ろうよ〜」とか「歌おうよ〜」となっているときに「いいえ僕は……」と言って拒む。正直、これには周囲は気を遣う。体調が悪い？　あるいは不機嫌なのかな？　と思う。その場で何が必要なのかをつかめない男は「〝遊び〟の文化レベルが低い自分」を反省したほうがいい。

無理してまで周囲に合わせることはない。しかし、**楽しんでいる人たちをシラけさせる態度をとることは、無粋な行為そのものだ。**

自分がその場を楽しめないだけならまだいい。

中には、全力でその場を楽しみ、盛り上げている人たちを見て「いい年をして、しょうがないなあ」と上から目線で批評する人もいる。良識ある大人、あるいは知的キャラとして振る舞うことで、自分の立ち位置を優位にしようとする。

もっともつまらない「いてもいなくてもいい人」だ。この手の人たちに「次」はない。徐々に誰からも誘われなくなる。

少々厳しかったかもしれない。しかし、多くの人が思っていることをあえてここに書かせてもらった。ほかの人たちが感じてはいるが、あえて口にしないタブーである。それをここに書いたのは、一人でも「つまらない自分」になってしまい苦労する人が出てほしくないからである。


「そんなことは、やりたい人だけで勝手に盛り上がっていればいい」

そう反論する人こそ、その場を自由に楽しめない胸の苦しみと疎外感を緩和するいいチャンスだ。

もっと生きやすい生き方を採用してほしい。

誰だって笑っていられないほど真剣に仕事やものごとに打ち込まねばならないときもある。悲しみにくれる人の前ではしゃぎまわるようであってもいけない。

だからこそ、心を思い切り解放する時間が必要なのだ。


私には息が止まるほど真剣に執筆や仕事に向き合う時間がある。

そういう緊張状態で仕上げる仕事のクオリティーを上げるためにこそ、**自分の心と**

体を徹底的にゆるめる時間を必要とする。

この本は「バカになれると人生が幸せになる」ことを説く本である。だから私は本書を通じて、「ガチガチに凝り固まった心」を徹底的に壊すつもりだ。

どうすれば今の自分を変えることができるのか。

いざというときバカになるにはどうすればいいのか。

2章からは、その方法について解説していきたい。

粋な男は、自分の心と体を瞬時に解放するスイッチを持つ

2章

【男の仕事】

結局、勝つのは〝はみだす勇気〟のある男

「この人と仕事がしたい」と相手に思わせる

成功したければ、一度は「仕事バカ」になってみることだ。

修行僧のような気持ちになって、仕事中毒になってみる。寝る間際まで仕事のことを考え、起きたらシャワーを浴びながらも仕事のことを考える。

あるいはデート中や趣味の最中も仕事を関連づけて考えてみる。仕事にとりつかれた一種の「ワーカホリック」の状態をつくり上げるのだ。**寝食を忘れて仕事に没頭する**のだ。

これを何年も続けることはおすすめしないが、数カ月や1年間くらいならば「仕事脳の熟成の期間」となる。プライベートとのバランスをとりながら仕事をしているときには気づかないこと、あるいは出てこない斬新な発想が、極度の集中状態になっている思考回路から泉のように湧き出るのだ。

中学や高校時代の部活を思い出してほしい。たとえば野球部の1000本ノック。苦しい極限の状態になると、体からムダな力が抜けて一番自然なフォームでボールをキャッチすることができる。この突き抜けた状態を体で覚え、技術を向上させてゆく。どのようなスポーツでも使われる手法だ。楽器や歌の練習でも同じことが言えるだろう。この「バカになるほど仕事をする」という修行が、あなたのビジネスシーンの「景色」をガラリと変えてくれるのだ。

何から始めたらいいかわからない人は、「誰よりも早く出社し、誰よりも遅くまで残って仕事に没頭する」ことから始めてみればいい。

24時間のうちどれだけ仕事に向き合えるか、あえてワーカホリックになってみる。

休日関係なく、ノートに仕事に関するアイデアを書き出してみる。

すべての行動を仕事につなげて考えてみる。

なんでもいいから、仕事にかかわりのありそうなことを四六時中やるのだ。

その道のことなら誰にも負けないという知識を徹底的に身につけてみる。

ポイントは疑問をはさむ余地もないほど、仕事に浸り切るということ。

そうすると感性が開き、**人が気づかないレベルまですべてが見渡せたり、細かい点に気づけるようになったり、〝第六感〟ともいえるカンが冴えわたるようになる。**

私にも経験がある。さまざまな業界の友人たちと、この「ワーカホリック競争」をしたことがある。1カ月と期間を決めてとにかく仕事をやり切った。

この仲間と飲みに行くときも仕事の話しかしなかった。

するとあるときから自分の存在が「仕事そのもの」になる感覚が芽生えはじめた。仕事に自分が乗り移ったというか、仕事に「魂」と「心」が宿りだしたのだ。

仕事は人生そのもの、自分の存在そのものとなっていった。

このライフスタイルが奇跡を起こした。

その気迫が取引先に伝わったからだろうか、仕事が次々と決まりだした。

何がなんでも成功させてやるという、仕事に対する鬼気迫る気迫と集中力。

そのエネルギーが周囲に伝搬し、「一緒に仕事がしたい！」そう思わせたのだ。

常識破りの〝仕事バカ〟になると第六感が冴える

「中途半端な真面目さ」だから通用しない

日々、真面目にやっているのに、仕事も恋愛も趣味も、友達関係も思ったよりもうまくいかない。そういう人はまさにこの「普通に真面目にやっている」ことに原因がある。

真面目イコール「目の前のことに集中している」とは限らない。

真面目にやっているが、集中できていないことに気づいていないから、生産性の上がらない状態で効率の悪い努力を続けている。

もうひとつうまくいかない要因は、あなた自身がその努力を楽しめていない点にある。

楽しくなければのめり込むことは難しい。言うまでもなく集中度も弱いのである。

つけ加えれば、周囲へのアピールが必要な場面でも、存在感がなく「目立たない」「目につかない」ことでチャンスに恵まれないのである。

真面目にやってきたが、今までのやり方に限界を感じている人におすすめの方法がある。奇をてらったり、独創的な発想で自分をアピールする必要はない。

その代わり、「バカ」がつくほど真面目を極めてみる。こだわりを持って、中途半端さを捨てて、厳格に仕事にのめり込む。

一つひとつの仕事のメリハリをつけて、集中力を最大限に高める。

「朝早めに出社する」ではなく「誰よりも早く出社する」。
相手に書類を送るなら、「必ず手書きで一筆を添える」。
「待ち合わせの時間には5分前到着」ではなく「15分前」に到着する。
メールの返事は必ずその日中に返す。
引き継ぎ資料は細部までこだわって完璧につくりあげる。

バカがつくほど真面目な姿勢を貫いてみてほしい。
あなたのその徹底した「真面目さ」が比類なき個性として輝きはじめる。
「真面目だからつまらない」のではなく、〝中途半端〟だからつまらないのだ。
真面目なことが取り柄だと思うのなら、その武器をさらに磨きあげることを考える。
それも、「バカになれる男」として通用するためのひとつの戦略だ。

飛び抜けた「真面目さ」は、ときに個性になる

「自分から謝れない男」にだけは絶対になるな

ミスを犯しているのに、潔く謝れない。言い訳をする――それだけで人間は簡単に自分の価値を落としてしまう。

「いざというとき謝れる人」と「謝れない人」を周囲はよく見ている。「ああ、あの人はそういう人なんだ」と一度判断されたら、そこから挽回することは至難のワザだ。

人間は本当に弱い。いざ謝ろうとしても、心が動揺してしまう。つい責任逃れをしたくなったり、言い訳をしたり、謝らずにすむならそうしてしまおうと思うこともあるかもしれない。

だが、謝れない人は、どうあがいてもこの先、決して人生が上がり目になることはないだろう。自分だけではない。親になって子供を持ったとき、上司になって部下を持ったとき、「謝ることができない」あなたの姿を見て軽蔑の念を抱かれる。

そんな大人にだけはなってはいけない。

謝ることが怖いのは誰も同じだ。

「謝れない人」は、実際会社にも社会にも大勢いる。ありがたいことに彼らのおかげで「潔く謝れる」人はとても高く評価される。

ミスを犯したら潔く謝るだけで男っぷりがどんどん上がるのだから、考えようによってはこれほどラクなこともないのだ。

何かミスを犯したときはもちろん、悪気のない言動で誰かを怒らせたときも間髪入れず「謝る」ことだ。どんな理由があれ、誤解だったとしても、相手はあなたの言動で不快になったのである。そのことに対してまず謝る。

「釈明」と「行き違いの整理整頓」はそれからである。

ただし、なんでも下手に出ればいいわけではない。状況によっては引いてはいけないときもある。たとえば、厳しい言葉で部下を指導した結果、傷ついたと騒がれても、「達成すべき目標」「行なうべき努力」を免除するわけにはいかない。この場合は、達成させてから「キツく言いすぎた」と謝ればいい。

「自分から謝る」ことを習慣にすると、すべてがうまくまわりだす。

小さなプライドを捨てて、たとえ100パーセント自分に非があるわけではなくても、相手に一歩譲ることができる。

それこそ、バカになれる男が持っている器のデカさである。そんな男は相手から信用される。

「謝りっぷりのいい男」はそれだけで評価が上がる

意味のない「勝ち負け」にこだわっていないか

世の中には「勝ち負け」にこだわらなければならない職業、生き方、そして瞬間がある。オリンピック選手、一流スポーツ選手や、企業だって日々顧客をつかみ、生き残りを賭けて勝負している。

しかし、**一流の人たちが大切にしていることは「勝ち負け」だけではない。**

プロスポーツ選手の場合は「印象に残る試合ができるかどうか」「自分の成長につながっているかどうか」にこだわる。どんなに大きな試合も、次のステージにつながる通過点だからだ。

企業であれば、一瞬の勝ち負けもあるが継続的に顧客に信頼され、魅了し続ける戦略など、先々の展望を考えて作戦を練る。ビジネスマンであれば、自分の得ばかり考えるのではなく、相手にも十分メリットを与えることも大切である。

勝ち負け「だけ」にこだわる生き方は痛く苦しい。

「あいつより負けてる」「今から何をしても勝てない」

そういう人は、実は自分で小さな勝負を勝手に仕掛け、一人で勝ち負けにこだわっている。そして絶えず心を動揺させているのだ。

そういう人に限って自分より劣っている人を見つけては見下したり、あるいはひとき安心したりしている。心当たりのある人はそんな習慣と早急に決別してほしい。

「世間ではこう言われているから」「これができたほうがまわりから認められるから」と、つまらない枠にとらわれて一喜一憂しているだけだということに気づこう。

「小さな勝ちで誰かを見下す」そして「小さな負けで自分の存在を否定する」。

そんなことをやっていては人生を棒に振ってしまう。

私などはこの「小さな勝ち負け」を感じる神経が体の中に通っていない。幸いなことに、もともとなかったといってもいい。

自分の好きなことをやる。好きなものをつくる。心を許した人々と、一生忘れられない思い出を共有する。しっかり家族を養う。多くの人の笑顔のために頑張る。

それ以外の基準を持たない。勝ち負けにこだわるとすればキックボクシングの一般枠の試合に出るとき、「相手を倒す」と奮起する試合直前ぐらいである。

大企業に入り、出世し、同期よりもいい給料をもらい、自分は今どのあたりの位置にいるのだろうかと考える。

そういったことに時間を使ったことが、この20年間一度もないのだ。

「お前はおめでたいやつだ」

そんなふうに言う人もいるが、私は逆に小さな勝ち負けにこだわって、自分のオリジナルの生き方を持たない人のほうが心配だ。

「人と比べる生き方を、誰のために続けているのか？」と心底不思議に思うのだ。

仕事で自己表現が難しければプライベートを充実させる方法もある。小さな勝ち負けにこだわらずに人生をパラダイスにすることはできる。

やりたいことを思い切り楽しみ、笑い、いい汗を流す。

「あいつ、いつも楽しそうだよね」

「自由にやってるよね」

「次は何をするつもりなんだろうね」

と、話題性のあるオンリーワンになれたとき、心の中の小さな劣等感や敗北感はきっとなくなる。とても簡単なことなのだ。

目の前の勝ち負けのはるか先に視線を向けて、「どんな人生をつくりたいのか」を考える。それを現実逃避と言われたり、負け犬の遠吠えと言われたり、いろいろな評価をされることもあるだろう。しかし、それは「ラットレース」を続ける人の評価だ。

ラットレース以外の競技では、その価値観は通用しない。

あなたは、別の世界へと足を踏み入れた。

バカの世界にはバカの世界のルールがあるのだ。

「オンリーワン」になれば勝ちも負けもない

会社にしがみつかない生き方

人生を楽しく、悔いのないものにしたいのであれば、「会社人間」を脱却することだ。

「仕事人間」と「会社人間」は違う。

仕事を腹の底から楽しむのが「仕事人間」であり、会社の言いなりになって生きているのが「会社人間」だ。

人生がつまらないと感じ、萎縮した毎日を過ごす人のほとんどは、会社に人生を支配されてしまっている。しかも、会社の考え方ですべてのものごとを見てしまうのだ。

特に問題なのが会社での評価がすべてと思い込み、「自分はできない人間だ」、あるいは逆に「自分は一流の人間だ」と思い込むこと。

自信なさげにプライベートを無気力に過ごす人も、自分をエライと勘違いして尊大に振る舞い友達を失う人もいる。

会社という特殊な世界でしか通用しない「たったひとつのものの見方」で、自分の価値を決めつける人が驚くほど多い。しかしこれは完全に間違った習慣だ。

会社の価値観、会社のルール、会社から見た自分の評価。

そんなものは、会社の中にいるときにしか、そもそも通用しないのである。

会社で窓際の人でも、場所が変わればスーパースターになる可能性を持っている。そう断言したい。

会社を変えたとたん、活動のフィールドが変わったとたん、頭角を現わし、リーダーシップをとる人を何人も見てきた。この事実をみな、知らない。知っていても目を向けようとしない。

悪いことは言わない。**会社の価値観や自分の評価など、プライベートでは蹴っ飛ばすに限る。**

一方、会社での自分のポジションや扱われ方が大好きな人もいる。会社のネームバリューによって「自分が一流だ」と信じてしまうタイプだ。

そういう人が会社の外での序列にこだわることがある。会社で部長の地位にいる人は、外でもそうやって扱われたがる。その割にプライベートで気の利いた話題のひとつも出せず、周囲に気を遣わせる。会社のこと以外に使う脳の容量がほとんど残っていない。

切り替えをしようにも「仕事以外のソフト」が存在しないのだから始末が悪い。「俺を誰だと思っているんだ」と言われたところで、周囲からすれば「誰だお前は」としか返しようがない。

そのような人に限って、酒が入ったり、慣れてきたりすると、場違いな仕事の自慢や手柄の自己主張で苦笑の対象になることが多い。**仕事と自分を切り離し、一人の人間として人生を楽しめないようではいけない。**

人間としてのおもしろみのソフトがなく、仕事のソフトに支配されたアンドロイド状態から抜け出すにはどうしたらいいのだろうか？

まずは**「自分の時間」を楽しめる人間になってみる。**自分の感性にしたがって行動し、心から楽しいと感じる瞬間を増やす。

そのくり返しで「うまみのある自分」がつくられる。会社や仕事の話などしなくても、何時間でも楽しい会話ができるソフトが蓄積される。

その愛すべき「ムダ」こそ、あなたの人間的魅力に磨きをかける。

もっと言えばこの**価値ある「ムダ」だけが、あなたの人間的魅力を深める**ソフトとなるのだ。

プライベートでは仕事のことも会社のことも忘れて、〝一人の人間〟になる。そこで残る人間の〝うまみ〟こそ、あなたの本当の人間的魅力であり実力なのである。

遊びのある「愛されるバカ」になれるかどうか、充実した人生が送れるかはここにかかっている。

会社を離れて、一人の男として周囲を魅了できるか？

「できない」と言う前に「できる理由」を100個考える

困難にぶち当たったとき、「できない言い訳」ばかり並べる人と、「どうやったらできるか」だけを考える人とでは、人生に大きな差が生まれる。

「できない理由」は誰だっていくらでも並べられる。

だが、「できる理由」をこれでもかと考えられる人は少ない。

「できる理由」とは、「不可能を可能にするためのアイデア」だ。

「これもできる、ここはこうすればいい、あれもできる。だから、必ず実現できる」

こう考え続けることで、私たちの脳は尋常ではないレベルで鍛えられる。

奇抜でありながら、実現可能な企画を立案できるようになるのだ。

「普通は無理だろう」

常識人ならそう考える状態を突破するアイデアを絞り出し、どんな手を使っても成功しようと必死になろう。どうせなら、誰も思いつかないような〝非常識さ〟を含むアイデアを生み出そう。

こういう突拍子もないひらめきこそが話題を巻き起こし、クチコミで広まるような商品やサービスに成長していく。「不可能」の壁を壊すのはいつの時代も同じである。常識人、知識人が「非常識」と言って取り合わないような案なのだ。

革新の旗手となった先人は「できない理由」を考えずに「できる理由」だけを考え、そして奇策で突破してきた。

「あきらめないバカ」こそが時代を変えてきたのだ。

ただし、肝心なことは**「どんな突拍子もないアイデアも、本気で実現するつもりで考え切ること」**だ。

すばらしいアイデアを周囲に語り「バカじゃないの?」と言われながらも、「こいつなら本当にやってしまいそうだ」と思われるか、「どうせ口だけだろう」「単なる世間知らず」などと思われるかの違いがそこにある。ビジネスなら、その業界に対する知識も見識も不十分なまま、大きなことを言うだけの大ボラ吹きになってはいけない。

ひらめきだけではものごとは変えられない。**世界を変えてきた天才たちは、大きなことを言うだけではなく、実現するための計画を練り、さらには人の力を借りるなどの行動も起こしてきた人たちばかりだ。**

やれることはいくらでもある。

実現するために必要な技術を持つ人に会いに行き、教えを請う。自分より知識のある人から勉強させてもらう。あるいは資金の準備、場所の確保のために奔走する。広報の役割を果たすウェブサイトを立ち上げて、地道なＰＲ活動を続ける。

どれほど無鉄砲な発想に見えても、実際にものがそろい、場所が確保され、協力する人が集まると、それは単なる「夢物語」ではなくなる。

エネルギーが生まれ、人の心を動かし、巻き込んでいくことができる。舞台仕掛けに共感する人が自動的に増えはじめるのである。

ここまでたどりつくことを目指して、「できる理由」をたくさん挙げてほしい。自分の興味の分野、絶対にやり遂げたいプロジェクトであれば、どれだけ苦しい思いをしても乗り越えることができるはずだ。〝やらされ感〟でやっていることとは違うのだ。

「こんな世界になったら楽しい」「こんな場所で、こんな人たちに囲まれて、毎日こんなことをして過ごすことができたら最高」

そうやって、夢の世界の「ディテール」まで描き出してほしいのだ。

「これは禁止されている」「これはやってもムダ」「そんなことに使えるお金がない」そんなことばかり言って暗い顔をしているより、はるかにいい気分になる。

「できない理由」より「できる理由」を大事にする。このシンプルな法則を忘れないでほしい。

不可能を可能に変える「非常識発想のトレーニング」を日々続けよう

生き残るのは、人の力を借りることができる人

デキる男になりたければ、遠慮なく周囲の力をあてにしたほうがいい。

「俺はこれはできない」「これは苦手だ。だからあなたの力を借りたい」とはっきりと言葉にして言うことだ。

なんの迷いもなく人の力を借りることができる人こそ、真の「デキる人」「やり手」となれる。大きな成果を上げることができるのはこの芸当ができる人だけである。

そのためにも、「俺はこれはできない。あなたに任せた」というひと言が必要なのだ。

特定分野での有能さを自覚させ、「自分がやらなきゃ誰がやる!」とやる気にさせることができるのだ。

周囲の得意分野を見極め、仕事のメンバーの士気を高め、活躍の場を次々に与える。

これができるかできないかで、将来的に大きな違いが生まれる。

今まで多くの男たちを見てきたが、有能だが伸びない人というのは、すべて自分でやろうとして他人の力を借りることができない。頼ることもできない。

すなわち、人を育てることもできないのである。

いつまでたっても何もかも全部自分でやらなければならず、長時間働き続け、やがて体を壊したり、心を病んだりしてしまうのだ。

素直になればいい。あなたより優れた能力を持つ人など、数え切れないほど世の中には存在するのだ。

その人たちを心から尊敬し、頼り、活動の場を提案し、活躍しやすいように「舞台」を整えて提供する。意外に思うかもしれないが、この〝お膳立て〟が効果を発揮する。相手は〝自分のためを思ってくれている〟という心境になる。大切に扱われ、特別に扱われ、自尊心が満たされてやる気になるのだ。大切なことは、決して上から目線にならないということ。

「任せてやっている」のではない。自分にはできないことを、相手は引き受けてくれている。そう心から思うことで、腹の底からの感謝の言葉だって出るだろう。上から命令するだけの上下関係とは違い、「チーム」としての一体感も生まれる。

その心持ちになれるかどうかで、あなたが放つオーラも変わり、周囲に与える影響も変わってくる。

あなたを総監督として周囲が喜んでプレーを楽しむのである。

「できないこと」を認め、有能な人の力を借りよう

つき合っていい酒、断るべき酒

グチを言いながら酒を飲むと、体中に〝毒〟が蔓延《まんえん》する。飲んでストレスを発散するはずが、かえって負のオーラを引き寄せることになってしまうのである。

もし、酒を飲むといつもグチや説教が始まるような上司に飲みに誘われたら、あなたならどうするか？

「上司からの誘いだから仕方ない。行くしかない」

と決めた瞬間、あなたは人生のムダな時間を受け入れる決断をしたことになる。

飲みに行くのにつき合って、貴重な時間をつぶし、しかも負のオーラまで抱え込むことになる。いいことはひとつもない。だったら、堂々と断ろう。

「行って楽しい、または感動するから行く」

「行くとタメになる話が聞けるから行く」
「困っている人を助けるために行く」
「誰かのお祝いのために行く」

自分のプラスになる理由がない限りは断っていい。無理して合わせる必要はない。

私は、新入社員の頃から行きたくない飲み会には出席しなかった。

「協調性のないヤツはクビにする」と言われ、半ば強制的に参加させられたことが全社行事を除いて3回だけある。クビにされたら困るから出席しただけである。

決して酒の場が嫌いなわけではない。ただ、同じ飲むにしても、有意義な時間を過ごせる相手と行くことに重点を置いているだけである。

ウマの合わない会社の上司とは、期限つきのつき合いだが、有意義な時間をつくり出してくれる仲間とのつき合いはほぼ一生だ。

あの頃の上司は、今では顔すら思い出せない。

そんなものだ。

おつき合いの飲み会なら、断ったほうがいい。実りのない時間を受け入れてはいけない。

これは友達でもいえることだ。グチが多い友人、もしくは最近暗い話題が多くなってきた友人とは、少し距離を置いたほうがいいだろう。もちろんすぐに距離を置くのではなく、一度や二度は注意してあげることだ。そこで逆切れしたりした場合には、友達関係も潮時だと考えていい。

酒を飲むときは「楽しむ」「感動する」「夢を語る」「絆を強める」など、前向きな目的を持つこと。またはそういう話題に集中できる相手とだけ飲むことだ。

そういう習慣を身につければ、必ずプラスのオーラが生まれてくる。デートで酒を飲むときも、女性の心をくすぐることができる。

「負のオーラ」がしみついた状態で女性に会っても、モテるわけがない。同じような負のオーラに満ちた女性が寄ってくるだけである。

ネガティブな〝毒になる酒〟は切る

3章

【男と女】

一生、モテ続ける男のルール

「自分のカラを壊すきっかけをくれる男」に女は惚れる

女性からモテたい。何歳になっても魅力を感じさせたい。

そう思うのは男の本能だろう。

その願望をかなえたいのなら、適度に非常識になり、あえてはみだすことを意識したほうがいい。「あの人といるとちょっと普通じゃない思いができる」レベルまで片足を突っ込んだほうがいろいろな奇跡が起こせる。

女性と2人で出かけるにしても、グループで遊びに行くにしても、あるいは仕事関係者でちょっとした打ち上げを催すにしても**「想定通り」のコースの上にひとつや2つ「普通ではない体験」をトッピングしよう。**

たったそれだけで女性があなたに普段の2倍、3倍の魅力を感じてくれる。

「女性はいかにも雑誌に出てくるような洗練された紳士のほうが好きなのでは？」

確かにそういう面も必要だ。しかし、それ〝しか〟ない男は理想の恋人をつかめない。

大切なのは女性の思考のパターンを壊すということである。

「え？　こんなの想像もできなかった！」

と思わせることにより、女性の思考回路、感覚を普段とは異なるパターン、リズム、周波数にシフトさせる。

これがまず「崩《くず》し」の第一歩、スポーツ前のストレッチのようなものだ。

恋愛は、「この人と一緒にいたらどんな日々になるんだろう」と想像させるところからスタートする。ちょっとした非現実を提供することで気持ちが高揚し、自分を相手にとっての「特別な人」に勝手に変えていく。

女性は非常に現実的な生き物だ。だからこそ、相手を〝非現実〟なシチュエーションに持っていくことが大切なのだ。

デートプラン、会話、そしてファッション、あるいは視界に入るものに「普通ではないもの」を取り入れよう。女性と会う前に、相手が少しでも非現実を楽しめる「エッセンス」を考えよう。

ほんの3分間考えるだけでいい。

たとえば、デートコースの中に「足湯タイム」を設けてみるのもいいだろう。靴を脱いで街中でお湯に足を入れる。一緒に入浴を楽しむような気分を味あわせる。それだけで、普段にはない〝非現実感〟を提供できる。

少し手の込んだことができる人は、仕事帰りの食事の際、あえてドライブデートを設定する。車を用意して約束の時間に迎えに行く。そのまま夜景の見える港、あるいは夜景スポットに30分以内に連れてゆく。

こうしてさっきまでのオフィスとは正反対のファンタジーの中に相手を連れ去る。この非現実体験による揺さぶりの後にゆっくり食事に行けばいい。

会話や行動に「型破り」を設ける。

女性はただでさえマナーを気にし、エレガントに振る舞わなくてはと思っている。男性が品行方正で紳士的に振る舞うだけでは、女はますます自分を型にはめ込み、疲れてしまうのだ。その縛りを取り去るきっかけを男から与えればいい。

特に競争率が高い**「いい女」には、小手先の心理的恋愛テクを使うより「常識を吹き飛ばす作戦」のほうが非常に効く。**

「何これ？　普通じゃないわ（笑）」そう思わせないと、いい女と恋に落ちるのは難しい。ただ誠実なだけでは、これまで彼女に言い寄った何百人のその他大勢に埋もれるだけだ。

こうならないためにも「非現実」「想定外」のエッセンスが必須なのである。

「不思議な人ね」「バカな人ね」と言わせることができれば、こちらのものだ。

私が過去に使った方法の中に「20人で1泊2日の旅行を企画してみよう」「行く先も帰る時間も決めずに伊豆半島一周ドライブしよう」などがあった。

女性たちはみな「何それ？（笑）」と悲鳴に近い言葉をあげていた。この2つのプランで、実際に〝無理目の女性〟と完全な恋に落ちることもできた。

「私もバカになっていいんだ」「いつもと違う自分を出してもいいんだ」と思わせて、どんどん「いい女」の心のカラを破壊する作戦は本当に効果的だ。

多くの女性が心の中で「いつも通りの自分のカラを壊したい」と望んでいる。

もちろん、相手によっても状況によって策は異なるだろう。

しかし、毎回あえて、相手との関係にほんの少しの「非現実」をトッピングしてほしいのだ。

その結果、何度も誘いに応じてくれる確率が高まる。

バッターボックスに立つ回数が増えれば、恋愛成就の確率もおのずと上がる。

気がついたら相手が恋に落ちていたというミラクルを体感してほしいのである。

常識を超えた「非現実」へ異性を連れ去れ

素敵だと思ったら、誰彼かまわず「ほめる」

目の前の女性を喜ばせ、恋の華やぎを微量に含んだ、いい関係を築くことができる習慣がある。それが「ほめる」という習慣だ。もう聞き飽きたセオリーかもしれない。しかし私のおすすめする〝ほめ〟は、少し非常識だ。

大切なのは**「一人に絞らず、あちこちでほめっぱなし」にする**ということだ。よく「ほめて惚れさせる」を目的にしている男性を見かける。どんなに素敵なほめ言葉でもたった一人にしつこく言うからウザがられ、恋も実らない。好みの男性からほめられ続ければ女性は天にも昇る気持ちになるかもしれないが、そうでなければ目の前の食事すら楽しめない。

つまり「うっとうしい」のである。

「何がなんでも惚れさせたい」という必死さが完全に裏目に出る。

そうではなく、**小さな魅力を感じたその瞬間に「あっさりほめてしまう」のがいい。**

しかも、あちこちでいろいろな女性に同じことをする。

好意の種を〝無責任〟にバラまくのだ。

こちらはほめたことを忘れても、相手はずっとそれを覚えている。そういう異性があちこちにいる状態をつくる。無意識レベルでできるように、この習慣を身につける。

それだけであなたの人生は一変し、とたんに華やぎはじめる。

あなたに好意を持っている人が複数言い寄ってくることもある。


さらに、鏡の法則というものがある。自分がしたことは、いつか必ず返ってくる。

「あちこちでほめる」ことを続けているうちに、やがてあなたも周囲からほめられる機会に恵まれることになる。小さな自信のカケラを蓄積し、自分の魅力に確信を持てるようになるのだ。

あなたがほめた相手も「小さな自信」をあなたからもらう。もし相手があなたを尊敬していたり、好意を抱いていたとしたらそれは快楽の極みとなる。

結婚しているかどうか、パートナーがいるかどうかは関係ない。

自分は相手をほめて心の満足を得ることができ、相手は喜びを得ることができる。

誰に遠慮する必要もないのだ。

最後に、やってはいけない勘違いをひとつ紹介しておこう。

それは「こんなに好きです」という気持ちを伝えすぎて失敗するというパターン。まだ恋心に火がついていない女性にとって「長々と続く〝好き好きアピール〟」はかなり息苦しいものなのだ。

それよりはサラリと「ほめる」ことで相手に小さな自尊心や自信をプレゼントしてあげたほうがいい。これは女性がみな、口をそろえて言う本音である。

特に女性は男性を好きになるまでに、男性よりも長い時間を要するものだ。

だからこそ適度にほめて自信を持たせ、焦らずに風通しのいい空気の中で思い出を共有する。

「自分が相手のことをどれほど好きか?」それを伝えるのは相手の心に火がついてからでも遅くはない。相手の心がこちらに傾き、十分に惹きつけてからフルスイングで打ち抜く。ぜひ覚えておいてほしい。

あなたが心がけることは、「あちこちで、ただほめる」ことだけだ。
それも意を決して言うのではなく、「いいなあ」と思ったときにあっさりと口に出す。
まずは相手を問わず、一日3人の異性をほめることから練習してみよう。

たった一人への「好きです」よりも、不特定多数への「ほめ」が人生を変える

「大恥をかいたこと」をどんどん話す

もっと楽しく、そして自由な人生を謳歌したい。

そう思うのであれば**「語れる失敗談」**を5つ用意して、いつでも人に話せる状態にしておいてほしい。

自分を印象づけるチャンスをものにすることができる。

カッコつけた話をしたり、自分をよく見せようとするのは逆効果だ。

普通に考えたら「恥ずかしいこと」「忘れられないような失敗」をさらけだす。

たったそれだけで周囲があなたに感じる魅力は何倍にもふくれあがる。10人中10人があなたに親しみを感じる。失敗も恥も乗り越えて明るく前に進む生きざまが人の心をつかんで放さないのだ。

「そんなことをしたの？　バカだな〜」と口では言いながらも相手はあなたのファン

になるのである。

一人の敵もつくらずにあなたは好意的な味方を大量に得ることができる。

「忘れられないような大失敗」も「大勢の前で恥をかいたような経験」もないという人は、今からそんな経験をあえてつくればいい。

簡単なことだ。**何かひとつ、思い切って新しいことに挑戦してみればいい。**ゴルフでもテニスでも、初心者というのは大勢の前であり得ないような恥をかいたり、失敗したりするものだ。

愛される失敗談をいとも簡単につくることができる。

もうひとつ思い出してほしいことがある。

これは同性からも愛され、そして強い絆をつくり、本能的に尊敬されるために不可欠なものだ。**「恋愛における大失敗」、「痛い思い」を男性だけの集まりの際に、語ってみせる**のである。あるいは、調子にのりすぎて痛い目にあった話でもいい。

恋愛でも痛い目をみた数だけ男は太くなる。

「ここまでやり切ったのに、あっさりフラれた」

「どうしても振り向いてもらえないとき、どうやって挽回したか」

「今までに経験した修羅場」

「ハプニングのようなアバンチュール」

そんな話ができるかどうかで、男同士の見る目も変わるのだ。

今までそのような体験がないのであれば、同じようにつくればいい。

「フラれるのが怖い」「傷つくのがイヤだ」などと言っている場合ではない。

女性にフラれたぶん、自分の魅力が増していると思えばいい。

小さくまとまった人生を打破するいい機会になるだろう。

恥を語れる男はモテる、恥を語れない男は忘れられる

一生、女友達といい関係でいる方法

たとえ結婚しても30人の女友達を一生維持し続ける。

それを目標にするだけで毎日はパラダイスになる。

いきなり何を言っているのか、と思われたかもしれない。30人という数にこだわれと言っているのではない。女友達の一人もいないようでは人生になんのおもしろみもなくなる、ということを言いたいのだ。

それは私たちが「男」だからである。男ならば好みの女性と時間を過ごし、そして語らうことが喜びとならないわけがない。

どうせ友達になるのなら「とびきりいい女」と友達になることを目指そう。

ここで大切なことがある。それは単なる「女性に媚びる男」になってはいけないということだ。

そうではなく**「同じ目線」で「対等の友人」になる**ということだ。人間同士のつき合いをする。これを忘れてはいけない。

浮き足立って金のかかるプレゼントをしたり、奉仕だけをする関係になってはいけない。

あるいはホイホイと心を奪われ、いきなり告白して気まずくなり、会えなくなるというのも寂しい。「いい女慣れ」していない男性の多くはこのパターンに陥ることがとても多いのだ。特別に意識する必要はない。相手は「単なる友人の一人」に過ぎないのだから。


対等の友人になるためには、自分に自信を持たなければならない。

「自分なんかと一緒にいて相手は楽しいのだろうか」

そんなふうに引け目を感じないように、しっかり自分の魅力に磨きをかけておく。

まずは外見だ。

自分のファッションに自信がないのなら、凝り固まったプライドは捨ててファッション誌に紹介されているのと同じコーディネートをしてみる。それだけで、相当印象はよくなる。似合う服を店員に聞いて、上から下までそろえる。そんなやり方を「恥ずかしい」と思うかもしれないが、この先、自分で選んだダサダサの服を着ていても自信など持てるはずがない。最初は雑誌や店員の力を借りるしかないが、そうやってセンスを身につけていくのだ。

さらに、いい女の前でも自信を持って話せる話題を探しておく。趣味やレジャーなど、何か「はまっていること」を見つける。まずはそこからでいい。この先はもう「慣れ」である。いい女に慣れさえすれば、それが普通になる。

私は25年間、30人近い女友達といい関係を築いている。どの女性も、仕事に恋愛にと忙しくイキイキとしている人ばかりだ。

時間を見つけて電話で近況を報告し合ったり、仕事で行き詰まったことがあれば互いに深い話をすることもある。あるいは昔を懐かしんでカラオケやクラブに踊りにいったりもする。しかし、そこにはやましい関係は一切ない。家族ぐるみのつき合いがあるほど仲のいい友人もいる。

40代の今も新しい女友達は随時増えている。中には年の差が20近い女性もいるが、話していて互いに楽しければ、年齢など関係ない。

この秘訣は**「男女の友情」を楽しむスタンスにある。**自分には家庭があるから、もう40代だから、などの引け目を持つ必要はないのだ。

話していて楽しい、尊敬できる、応援したくなる、反対に自分のことを全力で応援してくれる……人間同士のつき合いなのだから、そういった気持ちになれる人たちと時間を過ごしたいと思うのは当然のことだ。下心を捨てたとたん、身も心も軽くなってそれができるようになる。

何より、**いつまでも自分を「魅力的な男」として磨き続けようという燃料にもなる**のだ。

この〝いいことずくめ〟の関係を、ぜひあなたも試してみてほしい。男として、一生成長し続けることができること請け合いだ。

いくつになっても、複数の「女友達」を愛し続けろ

自慢した瞬間〝残念な人〟になる

いつも人の輪の中心にいて、まわりから愛される男が決してやらないことがある。

それは「自称する」ことだ。

「自称○○……」自分を大きく見せようとして言ってしまう、この「自称」はかなりイタい。 たったワンフレーズ、その一瞬で「残念な人」と思われてしまう。

まわりの人に自分をアピールしたいと思う人が陥る「最大の落とし穴」である。自称する男にはいろいろなタイプがある。

「女の子のほうからよく声かけられるんだよね」「僕こう見えて遊んでるんだよね」「俺けっこう偉いんだよ」「そこそこの立場ですから」「僕って個性的なんですよ」

こういう言葉は、決して自分から言ってはいけない。「こういう人間に思われたい」という気持ちはわかるが、**評価はあくまで周囲がするものだ。**

自称はあなたのイメージを一瞬で地に落とす。相手が自慢話を始めたとき、「俺だってそれくらい」「俺のほうが」と思っても張り合ってはいけない。ぐっとおさえて別の話題をもちかける。

相手の話に乗って質問したり、ほめたり、あるいは自分の過去の笑える失敗談を話したり。会話はあくまでも相手の反応を気にかけながら「わかりやすく」「シンプルに」「楽しげに」語れる話題を選ぶべきだ。

あるメーカーに勤務する30代後半の男性。

彼はつい自慢トークをするクセがあった。クレジットカードを見せたり、資格試験のスコアを見せたり、あるいは会社の経費をいくら使えるかという話をいつも「紋切り型」で口にしていた。

周囲は苦笑するしかない。本人がいない場所ではひそかに「酒の肴」になっていた。もちろん本人はそのことを知らない。だが、そのせいで女性からも避けられてばかりいた。

あるとき私は彼に直接、「そういうのは寒いからやめたほうがいい。それよりもみんなからいじられるほうがはるかにおいしいよ」と告げた。

彼の目は泳ぎ、そのときはプライドを維持するのが精一杯といった様子だった。だが、本人にも心当たりがあったのか、そこからは改善を見せはじめた。

自称や自慢をする回数が減り、ほかの人から「最近、自慢話しないね！」といじられれば、笑い飛ばすまでに成長できたのだ。

もう周囲を不快にすることも、嘲笑《ちようしよう》されることもなくなり、声をかけられる回数も増えはじめたのである。女性からの支持も徐々にだが得られるようになった。


あなたにも、心当たりがないだろうか。誰しも、一度くらい聞かれてもいない仕事の自慢をしたり、過去の「ワル自慢」「モテ自慢」をしたことがあるはずだ。

だが、それも今日限りで終わりにしよう。

そのひと言を飲み込むごとに、あなたの魅力は積み重ねられていくのだ。

評価は周囲がくだすもの。自分で口にしたとたん、価値が半分以下になる

エロ話ほどさわやかに、カラッと話す

タテマエの垣根を越えたり、互いにもっと親しくなるために、ときとして「エロ話」は有効だ。

下品すぎるのはもちろん論外だが、ツヤのある会話のひとつもできないようでは男として失格である。

私自身、そういった話に乗ってこない男を心の底からは信用できない。

エロ話に大切なのは**「後味を悪くしないこと」**だ。

ベタッと下品な空気感を漂わせてはいけない。世の中、本当に不思議である。どんなにエロ話をしてもさわやかな余韻を残す男と、ちょっとした下ネタを言っただけでベタッと気持ち悪い余韻をつくる男がいる。

モテる男の共通点はエロ話の余韻がさわやかであるということだ。その逆にモテない男ほど、エロ話がただの「スケベオヤジのセクハラ発言」になってしまう。

昨今、特に「セクハラ」に気をつけろと言われるご時世だ。女性と会話をしているときにヘタに話題を振って、騒ぎになってはたまらない。

だが、**同じ話題でも「セクハラ」になる男とならない男がいる**のだ。

この違いはいったい何なんだろうか？

私も過去に「ベタッとした余韻を残す男」を矯正しようと、「ほらこの空気！　汚いだろ？　わかるか？」と現行犯で何度か注意したことがある。

しかし、何度注意しても彼はなかなかカラッとした話ができない。面倒なので、「おまえはもう下ネタ言うな。メシがまずくなる（笑）」と禁止した。

一方、某大手企業の部長をする人間は、どんなエロ話をしてもその余韻がさわやかで、おまけに女性たちを笑わせ、その場を盛り上げる随一のセンスを持っている。

達人いわく、秘訣は「照れずに堂々と話す」「エロくても笑える話を選ぶ」ことだと言う。

反対に、「ベタッとしてしまう人」は、肩に力が入りすぎていたり、「こんなこと言って大丈夫かな」という緊張がこちらまで伝わってしまうのだ。または、しつこく同じ話をしたり、質問をくり返す。これがすべての話を台無しにする。

「ツヤのあるエロ話」ができることは、男の必須科目だ。しっかり履修してほしい。

エロ話は気負わずにカラッと話す

男を磨くなら、まず「外見」から

もし**自分を磨きたいと思うのなら、魅力的になった姿が、第三者にもひと目で、即わかることが大切**だ。

たとえば、「たくさん資格を取りました。だから、僕の内面は輝いています」と言っても、傍目《はため》にはまったくわからない。もちろん、資格を取ったことで達成感を覚え、そんな自分に自信を持てるようになったことで、「見た目」が変わることもあるだろう。

しかし、時間は限られている。ほかの人にもすぐわかる男磨きから始めたほうが、「あいつ、なんだか変わってきたな」と注目度も高まっていい。

まずは、「見た目」から変えることだ。

第一印象をよくするために、身のまわりのものを見直すことから始めよう。

服装、ヘアスタイル、カバン、靴、アクセサリー、車など、最低限のアイテムに〝おしゃれ感〟を演出する必要がある。ほかのどんな男磨きに成功しても、この部分の仕上げがヘタだと台無しである。一番簡単で、かつ一番落とし穴となる部分なのだ。

逆にいえば、この部分がきちんとしていれば第一印象でハネられる心配はない。

親しい間柄をつくり上げる「会話を楽しむ術」や「誘いやすい雰囲気」や「デートコースの知識」をその後に身につける。

即効性を期待するなら、この手の「わかりやすいもの」から着手しよう。同時進行で内面も磨く。

もし、あなたが〝人に伝わらない部分〟ばかり磨こうと頑張っていたとしたら？

それは受験に出ない科目を一生懸命勉強するようなもの。

人生は短い。

できるだけ効率的に男磨きに努めよう。

まずは服で冒険しよう！　はみだそう！　人生が変わる

ライバルに差をつける、この「ひと言」

好きな女を自分のものにしたいと思ったら、行動力、そして、相手の懐に踏み込むスピードを身につけることだ。

「踏み込みのスピード」が早い男こそ、いい恋愛と、理想の結婚相手を手に入れる。

いい女にとって「彼がいない」という期間は、驚くほど短い。前の恋愛を引きずる期間もだ。すぐに恋人候補が現われる。彼女の悩みは「誰にしようかな?」「どうやって傷つけずに断ろうか?」である。早い場合は別れてからの1カ月が勝負だ。

その間、さまざまないい男が彼女にアプローチする。

ここはビクビクしていても、ゆったりと余裕をかましていてもダメ。

まずは、男性仲間に「俺、あの子好みだから、アプローチしようと思う」と先に宣言してしまうことだ。このひと言で邪魔が入りにくくなる。

次に重要なのは、自分らしいデートコースを考え、自分を全部出し切ることだ。そしてマメに連絡を入れて、逃げられないようにたたみ込むこと。相手に信頼してもらい、「つき合ってくれたら幸せにする」ということを態度に表わす。

女性は押しに弱いが、ただしやりすぎは禁物。メールの返事がこないからといって一日に何度も連絡を入れてはいけない。

もし、ほかにライバルがいた場合、差をつけるにはこんなひと言が効く。

「俺はもう駆け引きはいいや。疲れるからね。俺は直球で行く。で、断られたらすぐに引き下がるから（笑）」とサラリと言おう。万が一、女性からの返事がNGでも、彼女との友人関係は続く。

信頼を得ることが一番なので、すぐにベッドに誘ってはいけない。遊びだと思われるだけである。心をつかみ、「この人は私のことを大切にしてくれて、本当に愛してくれる人だ」と思ってもらうことが大切なのである。

世の中には、遊びの恋には強いけれど、本命候補には、からっきし弱い男がいる。遊びの恋をくり返すことに慣れすぎて、「本気の恋」を前に、どうしたらいいのかわからない人たちだ。本気でつき合いたい相手は、その場の勢いだけで落とせると思わないほうがいい。まれに「遊びたいモード」のいい女が、あっけなく落ちる場合があるが、それは相手が「遊びたい」と思っただけのこと。そのような軽い展開で始まった場合は、女性の気まぐれでフェードアウトされるケースが多い。彼女は何ごともなかったかのように、別の男ときちんとした恋愛を始めるだろう。

きちんとした「いい女」は、段階を追ってきちんと口説き、そして彼女にしよう。

「運命の女」とは、「この人が自分の分身を産んでくれたら？」と考えたときに、ワクワクできるような相手である。想像したときに、「うーん」と考え込んでしまうような相手を選んではいけない。それは、あなたのDNAがNOと言っている証拠だ。

あなたのDNAが喜ぶ相手を選ぼう。

そして、そのような女性が見つかったら、素早く、真正面から攻め込もう。

〝遊びの恋〟だけじゃなく、そろそろ〝本腰の恋〟を！

「こんな女」とかかわってはいけない！

あなたのまわりにいる女性のことを思い返してみてほしい。

「エネルギーをくれる女」

「エネルギーを吸い取る女」

どちらが多いだろうか？　過去に交際した女性も含めて検証しよう。

ちなみに、エネルギーを吸い取る女性とは……。

・あなたをバカにする態度をとる

・笑顔が少ない

・人を見下した発言が多い

・「でも」「だって」と否定的な言葉が多い

・わがまま
・理屈っぽい
・会話のリアクションが少ない
・人の悪口が多い
・お金を使わせようとする
・嘘をつく
・自分のことしか考えない

それにプラスして、つき合っているときに、
・束縛が多い
・疑い深い
・極度に寂しがり屋

なども挙げられる。
彼女たちからエネルギーを吸い取られると、仕事に支障が出たり、交友関係が狭ま

ったりする。表情も暗くなり、話題が少なくなり、いつの間にかネガティブな考え方が感染してしまう。

もし、そのような女性に出会ったら、交際前ならば、上手に距離を置くことだ。

出会いが少ないなどといって焦ってはいけない。

多くの女性を見て、まずは女友達を増やすことが大切だ。

万が一、そのような女性と交際することになってしまった場合には、エネルギーを吸い取られないように気をつける必要がある。

「そういう口グセはテンションを下げるので、もっと前向きな表現ができない？」

「そういう態度は、こちらのエネルギーを吸い取るんだよね」

恐れずに、相手に根気強く言うしかない。

相手は言われた通りに直そうとするかもしれないし、怒ってあなたのもとを去るかもしれない。けれど、お互いが〝よりよく生きるため〟には仕方ないことだ。

また、次のような女性は注意したほうがいい。

有名企業に勤めていることや、収入があるかどうかでしか、男を評価しない女である。この手のタイプは、あなたが一流企業に勤めているうちは、全人格を認める。

しかし、会社を辞めて何か新しいことを始めようとすると、

「ふーん」「自分でやっても難しいでしょ?」「もしその計画が失敗したらどうするの?」

とネガティブな要素を次々挙げる。妻や結婚が決まった恋人なら仕方ないが、つき合いはじめの恋人や、ただの友達の場合は注意が必要だ。もし、これから何かにチャレンジしようと思っているなら、この手の女とは距離を置くべきだ。

私もこれまでに恋人友人問わず、この〝吸い取る女〟とは容赦なくサヨナラしてきた。

余計なところでエネルギーを吸い取られているヒマはない。

自分のやりたいことを心から応援してくれる人たちのために、時間やエネルギーはあるのだから。

「エネルギーを吸い取る女」とは幸せになれない。さっさと離れよう

つき合うなら、「女にモテる女」

「女友達が多い女性は、社交性があって、バランスがとれている」

そう言い切っても、間違いはないだろう。

男社会と違って、女社会は大変だ。

その中で、良好な関係を楽しんでいる女性には一目置いたほうがいい。

さまざまな人の価値観を、自分が生きるための「糧」として取り入れ、常に自分の心を成長させる技術に長《た》けている。

逆に、**どんなにかわいくても、知性があっても、女友達の少ない女性、または友達が次々変わる女性には気をつけたほうがいい**だろう。

新しい友人が頻繁にできるのは好奇心旺盛でいいかもしれないが、古い友達との交流がほとんどない場合、性格のバランスがどこかでとれていないのかもしれない。

長いつき合いを考えたり、結婚を考えたりする場合には、ちょっと慎重になったほうがいいだろう。

いつも一人でかわいそうだから。守ってあげたくなる。自分を必要としてくれる——。

そんな女性を安易に「運命の人だ」と思うと苦労する。

一貫性がなく、感情のコントロールもままならず、女たちから仲間に入れてもらえない存在であることを疑ったほうがいい。

女性の人間関係力は、恋人を選ぶ際の重要な選考基準のひとつなのである。

女社会でうまくやっていける女性は、結婚後も家族生活でうまくいく

毎回おごられて喜ぶ女は知れたもの

「恋人、婚約者、妻＝経済的に養っていくだけの相手」では決してない。

人生をともに歩く相手でなければいけない。

誕生日や何かのお祝いならいいだろう。また、初めてのデートなら、見栄を張りたい気持ちもわからなくない。

しかし、**毎回、しかも「全額」ごちそうするのはどうかと思う**。お金があり余っているならまだしも、お金がないのにカードで払ってまで全額おごるのはなぜだろう。

近頃では「割り勘」が増えているかもしれないが、いまだに、女性にお金を使うことで誠意を示そうという男性も多い。自分が痛い思いをして、借金までして支払いをする。

なんのためにそこまでする必要があるのだろうか。

「私はお金もないし、金銭的に余裕のある男性とだけデートすればいいの」

そのように言う女性も中にはいるだろう。

そういう女性は、「金の切れ目が縁の切れ目」になりやすい。

もし、ずっとつき合える女性と出会いたいのであれば、

「私も同じぐらい飲み食いしているから、せめて4割分くらいは払わせてよ。きちんと働いてるんだし（笑）」

と言い切れる相手を選ぶべきである。

30歳を過ぎて、たいして年も離れていない男からおごられて、平気で毎回「ありがとう。ごちそうさま」と言っている女は、結婚しても男の財布を当てにし〝使うこと〟しか考えない。考える脳がないのである。

私は、親しい女友達にはときどき注意する。

「大人なんだから、恥ずかしくない分ぐらいは払えよ」

以前、それにこう言い返した女性がいた。

「仕事で成功している人が多いんだから、おごってくれて当たり前じゃない？」

その答えを聞いて、私はこう言った。

「いい年をして、自分の分すら払わないから、まともな恋ができないんだよ。遊ばれたり、軽く見られたりするのも、無理もないな」

「自立した女性じゃないから、どんな男だって結婚したがらないんだよ」

その子は驚いた顔をした後、大粒の涙を流しはじめた。

こちらは当たり前のことを言っただけだ。

しかし、何を言ってもわからない女にはわからないみたいだ。話すだけムダなこともある。

だからこそ、金にものをいわせて女性をコントロールしようとする男と、男の金にコントロールされる女が後を絶たないのだろう。

毎回、全額ごちそうをする、というのは、本当の意味で相手の女性に敬意を払っていないということの表われだ。

男の財布をアテにする〝子供女〟を愛すべからず

「女の言いなり」になることが包容力ではない

数年前から、恋愛などに積極的でない「草食系男子」という言葉が流行っているが、そういう男性をバカにしている女性は少なくない。

それなのに「僕は草食系」と自称する男性がいる。どう見ても肉食系の男性がギャグとして言うならいいが、本当に気弱そうな男性が堂々と宣言するのはどうだろうか。

女性は、その場では「かわいい」とか「年上に人気ありそう」とか、好感を示す発言をするかもしれないが、本心では、

「頼りないわ」

「気も体も弱そう」

「人当たりはいいけれど、勝手に落ち込んだりして面倒くさそう」

「男なんだから、もっとテキパキしてほしい」

などと思っているものである。

おまけに、その男性に酔っ払いグセなどがあったりすると、恋愛対象どころか、話し相手にすらしてくれなくなるだろう。


たまに、「草食系の男性はラクだから」という理由で交際しようとする女性もいるが、その場合は無理な要求を彼に押しつけたり、筋の通らないわがままを言うためのサンドバッグがわりにするためだ。結果、通る筋、通らない筋もわからないような女性が増長する。

男が惚れた弱みで言うことを聞いていると、「そういう男らしくない態度に腹が立つのよ！」とやがて、怒りだす。女性が女王様のように振る舞うのにも腹が立つが、いいように扱われ、ガツンと言えない男はもっと情けない。

威張る必要はないが、正しくないことにはきちんと「正しくない」と言うべきではないだろうか。そうでなければ、これからもずっと尻に敷かれ続けるだけである。

「包容力で彼女を包んであげないと……」と本気で言う男性がいるが、**彼女の言いな**

りになることは、決して「包容力」ではない。それは、「筋が通らないことに同調する行為」であり、「女性を甘えさせ、増長させる行為」なのである。

「男」の価値を下げる行為といっても過言ではない。

男の勘違いな「包容力」は、世の中に迷惑な女をつくる。

相手を失う恐怖に負けて、筋の通らない態度を黙認してはいけない。

「正しくない」と思うことはきちんと相手に主張する。

たとえ、ケンカになったって、嫌われたって、別れたって、二度と会えなくたっていいじゃないか。

本当のあなたを愛してくれない女性と我慢して一生向き合うべきかどうか？

その答えは明白なはずである。

間違った包容力は、世の中に「迷惑女」を増やすだけ

「仕事」も「恋愛」も同時につかめ

「仕事と恋愛を結びつけようなんて、不謹慎である」

そう考える人もいるかもしれない。

けれど、**仕事相手でも魅力的な女性はたくさんいる。そこで恋愛の可能性を考えてもいいではないかと私は思う。**

「仕事場での恋愛」は、次のようなメリットがある。

・好きな人に成果を認めてもらうために、仕事を頑張るようになる
・仕事に理解のある女性と交際または結婚することで、心の支えができ、さらに仕事にまい進できる
・好きな人に会えるので、仕事場に行くのが楽しくなる

その逆に、次のような状況にならないよう、注意が必要だ。

・別れ話から恋愛トラブルに発展する
・相手の女性をしつこく追い回し、相手に圧迫感を与える
・恋愛に浮かれすぎて、仕事への注意力や集中力が散漫になる
・相手とケンカしたり、別れたりして気まずくなる
・「女好き」という噂が仕事場に蔓延し、信頼を失う

恋愛にのめり込みすぎたり、感情をコントロールできる自信がない人は、「仕事関連の恋愛」はあきらめたほうがいいだろう。また、酒に飲まれる人も注意が必要だ。セクハラ事件などに発展し、よくない結果を引き起こすこともある。

仕事関係で知り合った女性の心をつかむには、いち早く仕事場の外に連れ出すことである。

まずは、お昼に会おう。ビジネスミーティングを兼ねて1時間、ランチをともにする。これなら相手も警戒せずに誘いに乗ってくれるだろう。

もしくは、プライベートの仲間を紹介し合う「食事会」もおすすめである。いきなり2人で会うのではなく、みんなでワイワイ楽しめばいい。

また、仕事に関係したシンポジウムやコンサート、イベントなどに誘ってみるのもいいだろう。いずれも、いきなり誘うのではなく、メールの最後に「追伸」として、さりげない一行を添えること。

その小さな積み重ねが〝誘いやすい空気感〟をつくり出してくれる。

仕事も恋愛も同時に味わうのも、ひとつの手である。

貪欲に仕事も恋も両方、同時に取りに行けばいい

男の器量は〝パートナー〟でわかる

結婚相手には、旅館の「女将《おかみ》さん」気質のある女性を選ぶといい。

実際に家庭を切り盛りするには、この「女将さん」のような才量が必要になる。

機転を利かせた、機敏な動き。周囲が明るくなるような物腰。周囲の人とも仲良くやっていける社交性。ときには夫に代わって一家の代表としてものごとを処理する責任感。

表にはほとんど出ないが、脇でしっかり支える力を持っている。

「守ってあげたい」や「かわいい」だけでは務まらない。

「癒し系」であるだけでは足りないのである。

頼れるみんなの姉さんであり、お母さんにもなれる。結婚相手を選ぶ際は、その女性にこの「女将さん」資質があるかどうかを見抜くことだ。

逆に、こんな女性は結婚には向かない。

・ぶっきらぼうな態度をとる
・ちょっとしたことで気分を害する
・あまりにも気が利かない
・話が続かない。または会話を続かせようと努力しない
・大勢いる場で相手にしないとすねる
・仕事で忙しいときに「寂しい」と言って邪魔をする
・つじつまの合わない言い訳をする
・潔く謝れない

たとえ、美人で仕事ができて、どんなに料理がうまくても、この手の女性を結婚相手に選んでしまうと、後悔するだろう。

結婚相手は、やはり安心して家を任せられる女でなければならない。

特に、家業を営む人や、自営業の人、さらには会社経営者など「カンバン」を背負

っている人は、女性の「女将素質」を見抜くことが必須だろう。仕事がうまくいくかどうかにもかかわってくる。

家を守る気概と強さを持つ「女将さんタイプ」と、生涯2人で戦っていく必要があるからだ。

妻にするなら「女将さん気質」の女性

「いい人」を今すぐ卒業する

最近、「いい人」が妙に多いように思う。

人間関係をそつなくこなし、日々を無難に過ごしている男たちである。ただ、**それが女性にとって「魅力的な人」かというと、必ずしもそういうわけではない。**

「夫として安心」

「所帯を考えると安心な人かも」

これらは結婚を最優先に考える女性の言葉であるが、たいてい「でも……」という注釈がつく。

「……でも、あのなんともいえない頼りなさが惜しい。そして、それが致命的でもあるのよね」

最近流行りの草食系男子も、「いい人」に属するが、女性に認められるのは「見た目が小ギレイで、どこか男っぽくて理性的で、芯がある男性。それでいてコミュニケーション能力がある」草食系男子だけなのである。

仕事熱心、友達思い、正義感があるなど、「わかりやすい頑固さ」があるといい。

ただのいい人がなぜ敬遠されるかというと、パッと見の存在感の弱さが原因だろう。女性が「この人の子供を産みたい」とは思えないのである。

さらには、些細なことであきらめたり、へこたれてグチを言ったり、その行動パターンが容易に想像がつくからだ。

つまり「オス」を感じないのである。

彼は浮気もできなさそうだから安心だが、人生において期待以上のことはしてくれないだろう。むしろ、イライラさせられるだろうと想像してしまう。

女性が輝いて見えるのは、間違いなく「男らしい男」の側にいるときである。女性は自分の女らしさを盛り上げてくれる人の前で、「女」を意識するのである。

ただの「いい人」は、「自分が相手にどう思われるか？」ばかりを気にして、「相手がどうしてほしいか」を考える余裕がない。

女性は男性に「自分もその場を楽しみながら、こちらも同じように楽しませてほしい」と感じている。男は女の召使いになる必要はなく、最初から単なる聞き役になってほしいとも思っていない。

女は男にある程度の「勝手にその場を楽しもう」という、一種の図々しさを求める。

ただの「いい人」にはこの図々しさが足りないのである。

ただのいい人にならないためには、もっと「その場」を楽しむことだ。

「あれしたい」「これしたい」「あれが楽しい」「これがおいしい」をもっと口にするだけでいい。無理に悪ぶったり、強がったりする必要はないが、もっと自分勝手に盛り上がればいい。人の顔色ばかり気にするのではなく、自分を出すことが大切なのだ。

「相手のため」ではなく、まずは自分が楽しむこと

4章

【男の魅力】

何者にもしばられない「自由」を手に入れる法

「現実逃避」をした先に見えてくるもの

どうも私たちは**「やらなければいけないこと」に日々追われているうちに、自分が本当は何がしたいのかを感じる心が退化してしまう**ようだ。恐ろしいことだが、これは真実だ。中にはすでに危うくなってしまっている人もいるはずだ。

退化するとどうなるか？　脳みそは抜け殻で、興奮も感動もしない、無表情の枯れた人間をつくり出してしまう。

そうなる前に、しっかりと魂を解放しなくてはならない。

何度もくり返すが、教え込まれた常識をまずは取っ払ってほしい。

私たちにはその自由が与えられている。

あなたの心を縛っている鎖など存在しない。あなたが今抱えている会社の人間関係の悩みや、人生の葛藤は、全部「他人からどう見られているか」を気にすることで生じる。しかし「自分がどう生きたいか」を真剣に考えるなら、他人の目など気にしている時間はない。

アフター8を一人でモヤモヤとした気持ちのまま過ごしたり、予定のない週末に家でふさぎ込むくらいなら、**「超積極的現実逃避」**をしてほしい。

私はそれを実践してきた。20代、30代と「超積極的現実逃避」をくり返して、自分が生きていく世界を構築するために命がけになった。そして「価値観の合う仲間で構成された数百人のコミュニティ」をつくり上げた。

自分が何をやりたいのか、どんな男になりたいのか、どんな人生を生きたいのかを考えた結果だった。「仲間と借りた都心の別荘」、セカンドシェアハウスで私たちは語らい、ほかの誰もやったことがないことをやろうと、次々に企画を立てた。

今の私の仕事はこの現実逃避に時間もお金も投資して、やり切ったその先に形づくられたものである。

今の会社に居場所がある、仕事にやりがいも感じている、今の環境でもっと上を目指したいと思っている人もいるだろう。反対に、今の会社にいて、一日8時間以上もこんなことのために使っていていいのかと思っている人もいるはずだ。

どちらであっても、「超積極的現実逃避」に挑戦できる。

あなたが心底、血湧き肉躍ること、もの、そして行動とは何だろう。

ゴルフ、釣り、合コン、恋愛、映画鑑賞、旅……。

心に浮かんだその対象に触れる時間をつくることから始めればいい。

後先のことなど考えずその世界に金曜日の夜から飛び込んで浸ってみる。そして「これ以上は無理」と思うほどに「やり切ってみる」。

金曜日の夜から月曜日の朝までの時間が、何倍も濃く長く感じられるはずだ。

月曜の朝を不思議なくらいすがすがしく迎えられるだろう。

心が元気で満タンになり、心の自由な感覚、本当の自分が戻ってくる。折りたたまれていた心のアンテナがよみがえるのだ。

週末を有意義に使い切ったという充実感があふれるだけで、仕事の効率は格段に上がる。
それを数カ月から1年続けてほしい。バカになるほどはまってみてほしい。
お金も多少かかるだろう。しかしそれでいい。人生を変える投資だからだ。
アンテナを研ぎ澄ませた先に、進むべき道、キャリアアップへの道が開けるはずだ。

週末に「心底はまれること」にどっぷりと浸かり、頭をカラにする

「飲み会で芸ができる人」の人生は9割うまくいく

自分自身を好きになりながら、周囲も幸せにしたい。

そして「生きているだけで幸せ」と感じたい。

本気でそうなりたいと思うなら近道がある。**「飲み会で芸ができる人になる」**ことだ。

30代だろうが50代だろうが、いざというときにこの宴会芸ができるのとできないのとでは人生に大きな差が出る。

飲み会の席で、芸のひとつもできないようでは男として頼りない。

「バカバカしい」と内心で思っているとしたら、それは自分をよく見せたいという小さなプライドを捨てられないからだ。

なぜ「宴会芸」にこだわるのか。躊躇なく芸ができる男は尊敬されるのか。

それは、**肝が据わっているから**だ。

「みんなの前で何かやれ」「場を盛り上げろ」と言われたとき、イヤがって後ろに引っ込む人間よりも、すぐさま前に出て、つまらない芸でもなんでも堂々と披露できる男のほうが潔い。将来だって有望だ。ものおじしない、笑われようとヤジを飛ばされようと気にしないで、「どうもお目汚ししました！」と笑顔で退場する。そんな男は同性からだって一目置かれるし、女性だってしっかりと注目しているのだ。

いわば、たった一人でその場を和ませる大仕事をすべて引き受けてくれたわけだ。まわりからは感謝されるし、それが普段仕事で見せる顔とは違う一面であれば、意外なギャップで人の心をつかむことにもつながる。

私自身、飲み会の席で芸を披露することで、たくさんの人生の恵みを手にしてきた。芸の出来はどうあれ、若い頃には先輩方にとてもかわいがられたし、初対面の人とも笑い転げて話ができる仲になった。普段会えないような人々とも知り合いになり、彼らにも強い印象を与えることができた。

今でも機会があれば、若手を差し置いて場を盛り上げに出ていく。まわりの人に元気を与え、自分自身も大笑いする。そんな自分を思い出すたびに自分のことが好きになれる。

いい年をしても、バカをやっている自分を心底愛せるのである。もしかしたら原稿を書く自分より宴会芸をしている自分のほうが好きかもしれない。作家である前に、人生を楽しむ一人の人間であること、それが心底楽しくてたまらない。

これだけ言われたら、あなたも一度くらいやってみたいと思ったのではないだろうか？　何もテレビに出るプロの芸人並みのワザを披露しろと言っているわけではない。

笑いがとれるにこしたことはないが、大失敗してスベってもかまわない。

最後に「つまんないよ！」「引っ込め！」とヤジが飛んで、笑われることができれば、それが大成功だ。

やるかやらないかは本人次第である。しかし、やった人には自分のカラを突き破った瞬間に訪れる最高のエクスタシーを保証しよう。

「捨て身で盛り上げる」だけで、自分のことが心底好きになれる

男の「隠れ家」を持ってみる

家と会社の往復だけで、これといった趣味もない。会社の知人以外は飲み仲間もいない。そんな状態に陥ってしまい、心がふさぎ込みかけている人に、ちょっとワクワクする提案がある。

子供の頃の「秘密基地」を思い出してほしい。草むらに木片やトタンやガラクタを集めて隠れ家をつくったあの思い出だ。その頃の気持ちを覚えているだろうか。

誰かに自慢してまわりたくても我慢するドキドキ感。仲間たちだけで秘密を共有しているというワクワク感。冒険が始まるような非日常感。

それを今、この瞬間に再現することができる、と言ったらどう思うだろう。

ただし、**大人になった今、秘密基地をつくるのは草むらではない。**

職場に近い、あるいは海辺や眺めのいい山や湖の近くでもいいだろう。その近くに数万円で借りられるマンションやアパート、あるいは一軒家を探すのだ。

世の中で起きていること、仕事や家庭、人間関係、そして自分の人生を客観的に冷静な目で眺めるための展望台でもある。

まずは一番気の合う友達を誘って、2人で**「秘密基地プロジェクト」**を始める。借りる人と保証人が最低2人必要だからだ。そしてその後、その秘密基地メンバーを3～4人募ってゆく。敷金、礼金、さらには家賃を人数で割り、新規メンバーからも徴収する。お金の管理はおろそかにしてはいけない部分だから、一番最初にきっちりと決めておく。

そして幹事2人で、掃除表や使用ルールをつくり、それをみんなで共有する。もちろんメンバーの意見やアイデアも聞く。

私はこの「秘密基地」「都心の別荘」の経験者である。しかも新入社員の頃からすでに20数年、結婚した後も維持している。始めたきっかけは、「社会人になっても、仲間で集まり、新しい人とつながることができる基地がほしい」と思ったからだ。

夢に出るくらい、秘密基地がほしくてたまらなかった。あれこれ物件を探して仲間を集め、社会人1年目の冬に東京都内に念願の「秘密基地」をかまえたのだ。

この「場所」があったからこそ今の自分はここにいる。大切なことはすべてここで学んだ。仲間と夢を語り、さまざまな生き方、働き方を目の当たりにした。笑い、悩み、酔いつぶれ、恋をして大人になった。先日久々にこの場所の跡地に行ってみたが、体の底から熱いマグマのような衝動が湧き上がってきた。今でも場所を変えて、若い人たちに夢を与えられる「秘密基地」を継続して運営中だ。

ここまで大がかりなことをしなくても、自分だけの秘密基地を持つことはできる。

1カ月、3カ月と期間限定で借りてもいい。ずっと住むわけではないのだから、間取りなどにこだわる必要もない。今の時代なら、1週間単位で貸してくれるマンションやシェアハウスだってある。

本物の「男の隠れ家」だ。考えただけでワクワクする、計画を練ることが楽しくて仕方ない。そんな瞬間を人生につくることは簡単なことなのだ。

「秘密基地」が男の奥行きをつくる!

「イジられる男」の魅力

恥を捨てる、小さなプライドにこだわらない。それだけで人生が何倍も楽しくなるということをこれまでに伝えてきた。

さらに言いたいことは、**「笑われることはおいしい」**ということだ。誰からも何もツッコまれないように鉄壁のガードを張るよりも、はるかにラクで、しかも周囲の人から勝手に親しみを感じてもらえる。

そうはいっても、なかなか「笑われ慣れていない人」もいるだろう。

そんな人は、「言われたらイヤだ」「ここだけはバカにされたくない」「いじってほしくない」と思うことをすべて思い出してほしい。本当は思い出したくないことかもしれないが、そこにあなたを変えるヒントが埋まっているのだ。

その中から**「これは百歩譲っていじられても許せるな」というものをひとつ選ぶ。**

そうしておけば、実際に「いじり」「ツッコみ」を受けたときに心の準備ができて、余裕を持って一緒になっておもしろがることができるようになるのだ。

さらに、だまされたと思って声を出して笑ってみる。そうすると、あれほど気にしていたことを、簡単に笑い飛ばせるようになるのだ。

私は身長が170センチ程度で、周囲の友人には長身が多いので、いつも「ちっちゃい人」的なツッコみをうける。これが思春期の頃はイヤで仕方なかった。「カッコつけたい年頃」のときには、身長に触れられるような話題を露骨に避けたりもした。だが、よく考えたら背が高くてもモテない男はモテないし、その逆もしかりだ。

いつからか、身長の話題が出ても「シャコタン仕様（車高を低くしたヤンキー仕様の車）、なめんな」と返せるようになっていた。

すると周囲は「シャコタンって！（笑）懐かしいな」と笑う。つまりとても「おいしい瞬間」がつくれるのである。いじってくれてありがとうと思える瞬間である。ほかにもたくさんある。

女性とつき合ったことがないことをコンプレックスに感じていた30代後半のある男性は、今までかたくなに恋愛の話になると口を閉ざしたり、話を振られてもあからさまに動揺したり、周囲からすればやりづらいことこの上なかった。

だが、ある時点で吹っ切れて「僕、こんな年なんですけど女性とつき合ったことないんです！」と堂々と振る舞うようになったのだ。とたんに、いじられキャラとして、恋バナをするときにもわざわざ呼ばれるようになった。

さらに驚いたことに、あっさりと初めての彼女までできたのだ。

少しぐらいのツッコみやいじりをみんなと同じ気持ちになって、一緒になって笑ってみよう。話題にしてくれる、気にしてくれるということは、あなたがまわりの人から愛されている証拠だ。

まわりから無視されたり、腫れ物のように扱われることほど寂しいことはない。

「あれもこれもタブー」という人と一緒にいると周囲も息苦しいし、何より自分自身が窮屈だ。何もいいことがない。

「これだけはどうしても言われたくない」「本当に傷つく」ということは誰もが持っていると思う。だが、それ以外のことは、自分が気にしすぎているだけで、案外どうということのないものだ。

そんな「おいしいポイント」を掘り起こしてみよう。そうすれば、どんどん人間関係がラクになるし、楽しくもなるのである。

「笑われたらおいしいと思う」——それだけで人生が明るく開ける

ひとりでも楽しめる、ひとりでも生きられる

一冊のノートと一本のペンを持って、一人の時間を過ごす。

それが人生を変えることがある。

いろいろなことに疲れて、心と体ががんじがらめになってしまったら？

そんなときには**たった一日でいいので、ノートとペンを持って一人旅に出かけよう。**

行き先は、海でも山でもいい。できれば、景色がキレイで、視界の開けたところがいいだろう。海なら、地平線や夕日が眺められる場所。山なら街が見下ろせる場所がおすすめだ。

電車でのんびり出かけるもよし、車で行くのもいい。

そして、**電車の中や旅先で気軽にノートを広げ、心の中に巣くっている問題を思いつくままに書き出してみよう。**

心のモヤモヤをひと通り吐き出したら、次に対処法を考えてみるのだ。

これらの作業を進めているうちに、不思議なくらい心が落ち着いてくる。

「な〜んだ、こんなに簡単に解決できるのか」と目からウロコが落ちることもある。

次にやりたいこと、チャレンジしたいこと、住みたいところなど、自分の心の中にある「こうありたい」願望を、思うがままに片っ端からノートに書いてみればいい。

何も思いつかない場合は、「今ほしい車の名前」でも「今、行ってみたいところ」でもいい。行き詰まったら、ボーッと景色を眺めたり、昼寝したり、歩いてみたりして、気分転換だ。

そうこうしているうちに、突然ペンの走りがよくなって、書くことが楽しくなり、止まらなくなる瞬間がやってくる。次から次へと書きたいことがあふれてきて、紙が足りないとさえ思えるときがくるのである。

その勢いを止める必要はない。

この瞬間こそ、あなたの〝心のふた〟が開いた瞬間なのである。

この時間を大切に、しっかり自分と向き合おう。ある程度書き尽くしたな、と思ったら、再度ノートを見直して、もう一度ワクワクすればいい。

その日、思いのたけを書きつづったノートは、あなたが望む「人生の羅針盤」となり、さらには壁にぶち当たったときの問題解決のヒントになる。

ときには、一人、自然の中で自分を見つめ直す。そして、自分の一生を俯瞰《ふかん》してみる。

そこから、思いもよらない最良の「答え」が導き出されることもあるはずだ。

200円のノートと「日帰りの一人旅」が、人生の地図を塗り替える

朝に強い男の爽快感を知っている?

早起きは、たいていの悩み、問題を解決してくれる。朝の脳にはひらめきと、処理能力がある。


ためしに3日間だけ、朝5時に起きてみてはどうか。

今、7時に起きている人なら2時間だけ早く起きてみる。

そして、まずは熱いシャワーを浴び、朝食をとる。

この2つのアクションで体は目覚め、脳と下腹に力が入る。

そして「さあ、やるぞ!」という気合が湧き上がってくるのである。この時間はまさに人生をつくり上げる「黄金の時間(ゴールデンタイム)」だ。

私自身、この時間帯に書いた原稿は、ほかの時間に書いたものに比べて出来もいいし、また量もこなせる。8時半までには、すでに約3時間分の仕事が完了していることになるのである。すべて前倒しでものごとを進めることができるので、心にも余裕が生まれる。

この爽快感は、うれしいことに一日が終わるときまで続く。そして、今日に感謝したい気持ちを持ちながら眠りにつけるのである。

このように、**早起きは自尊心が高まり、朗らかでハキハキと明るい自分をつくることができる。**逆に遅起きを続けると、「あれもやってない」「これもやっていない」と、自分を責める気持ちが芽生えやすくなる。

もし、今、気分が晴れなくて、ネガティブな考えに引っ張られているなら、あれこれ考えずに、とにかく5時に起きてみよう。

その結果、見える景色は違ってくるはずだ。決して大げさではない。

実際に、仕事と締切りに忙殺され、何もかも中途半端でモヤモヤした気分を引きずっていた私を救ったのが、この習慣だった。今では最高のクスリになっている。

ぜひ、だまされたと思って試してみてほしい。今、抱えている憂うつな気持ちはいつもよりちょっと早起きすることで、必ず洗い流されるはずだ。

ほとんどの問題は、早起きで解決できる!

心が弱ったときこそ、くり返し本を読む

私には、自分を支えてくれる本がある。いつも机に置いておき、心が弱ったときや、モチベーションが下がったときにはそれを開くことにしている。

特に、自分が重要だと思った箇所にはラインを引いておき、時間がないときにはそこだけを斜め読みすることもある。

そうして、心に再び情熱の火をともし、仕事に向かうのだ。

これはマラソンにたとえれば、コーチが伴走してくれるのと同じである。

ボクシングでいえば、セコンドに叱咤激励してもらうのと同じである。

くじけそうになったとき、ちょっと弱気になったとき、私は「本」というコーチに何度も、いや何百回も励まされ、立ち直ることができた。１０００円ちょっとの本が、

人生そのものを支えてくれているのである。いい本はそのくらい大きな役割を果たしてくれる。

大事なのは、本に書かれていることを実行することである。

たったひとつのアクションが、人生を大きく変えることがある。

私が読んだある成功哲学本に、「人の喜ぶおせっかいをせよ」という一文があった。「相手が必要としている人脈を損得勘定抜きに紹介してあげよう」という趣旨だ。

私はさっそく周囲に声をかけ、つながりを持てば話が弾みそうだと思われるメンバーを集めて語り合う会を毎週開催することにした。

その会を続けて2年ほど経ったある日、自分が「本当はやりたい」と思っていることをみんなの前でなんとなく発言する機会があった。すると、

「君はこうやって人のために会を設けて奉仕しているけれど、自分ももっと前に出て、やりたかったことを仕事にしてみたらいいんじゃないか？」

そう言ってくれる人が現われたのである。

そのメンバーの言葉や協力がきっかけとなって、私は当時勤めていた会社を辞め、「もの書き」の仕事を始めることになった。

今ではこうして本を出させてもらっている。
「本に書かれた一文」を実践したことで、私は自分の人生を切り開くことができたのである。

人生は一冊の本によって本当に変わる。あなたが出会うべきなのは、一回読んだら終わりとなる本ではない。人生をいい流れに持っていくために使い倒す「手引書」だ。読むたびにモチベーションが上がり、前向きで活動的な状態に引き上げてくれる本と出会ってほしい。

全部暗記できるぐらいまで読み、長い休みには必ず携帯し、旅先で目を通す。いつでも取り出せる場所に置き、必要なときにくり返し読むのである。

一冊の本は、迷ったとき、悩んだとき、あなたを正しい方向に導いてくれる師匠に必ずなってくれるはずだ。

人生に奇跡をもたらす、「運命の一冊」と出会おう

人生には、〝ムダなこともある〟と知れ！

「人生にはムダなものは何もない」というが、それはものごとを前向きに考えようとするための〝おまじない〟のようなもの。**実際はムダなものがたくさんある。**

そんなものにあえて向き合う必要はない。

上手に避けて通るべきである。

たとえば、恋愛において「なかなか振り向かない相手をいつまでも追いかけ続ける」のはムダだ。

恋愛というものは〝パズル〟と同じようなもの。そもそもあなたとピッタリのピースは2～3片にすぎない。その運命のピースを早く探さないといけないのに、2人や3人の異性と仲良くなったくらいで「運命の人」と決めてしまうのは早計である。

もし、相手からNOの返事がきたら、それをバネにして、自分を磨き、どんどんほかの女性と出会ったほうがいい。

そしてたくさんの選択肢の中から、次の一手を打つ相手を見つけるべきだ。「出会いがない」のは誰のせいでもなく、あなたのせい。

また、選択の余地があるにもかかわらず、自分に合わない仕事をイヤイヤ続けること。これも大きなムダだ。将来必要なノウハウでもなく、おもしろくもない。しかも報酬にも不満があるとしたら……。そんな仕事にかかわることは、「人生のムダ」でしかない。

いつまでもムダなことに固執しているようでは本当の〝バカ〟になってしまう。

人生にはほかにもまだまだムダなことがたくさんある。

それらを避けながら、効率的に男磨きを実践することだ。

不毛な〝ムダ〟につき合うな。一日も早く切り離せ！

5章

【男の人間関係】

「人を見る目」のある男、ない男

謝罪されたら、水に流して忘れる

どんな人でも間違ってしまうことはある。

どれほど仲のいい友人であっても、気づかずに相手を傷つけたり、怒らせてしまうことがある。

もし、自分が友人からそんな目にあわされたら、あなたはどう振る舞うだろうか。

私はまわりから何を言われても、**徹底して「お人好しになる」と決めている。**

友人から受けた不義理や、不快な思い、気遣いのない態度。それらを水に流すということだ。もちろん条件がある。「謝ってきた場合」である。あるいは、本当に悪気がなかったとわかる場合、こちらの指摘に対してすぐに反省を示してくれた場合は水に流す。

つまりイヤな態度をとってきて、それを指摘しても謝りもしない、反省もしない、連絡もない場合を除いては、少々大目に見るということだ。

まわりからは「甘い」「お人好しすぎる」と言われることもある。

だが、自分もいつかどこかで、友人である誰かにわざとではなくても「イヤな思い」をさせているかもしれない。それでも相手は友情の糸を切らずに接してくれている。

だからこちらも、ちょっとした人間関係のミスに神経質になりすぎて、簡単に友人との関係を断ってはいけない。

ときおりイヤな思いさせられることがある友人でも、プラスの部分を加味すると「人生にはなくてはならない存在」であることに気づくことがある。

ムカつこうが、イラつこうが、家族とは縁を切ることができないのと同じように「一生続く友人とのつながり」という種類のものがこの世にはある。

腹が立つことがあっても、なくてはならないつながり。一生続く友情とは、このようにいいときも悪いときも含めた家族愛に似ている。

自分の調子が悪い時期、友人のほうが輝いて見えるとどうしても距離を置きたくなる。せっかく集まりに誘われても、顔を出したくない、返事も返したくないと思ってしまうときもあるかもしれない。だが、友情とはそんな一時の浮き沈みで失っていいものではない。

「今はこういう時期。また時が来れば、会いに行けばいい」

と気楽に構えて、不義理だけはしないようにして、細くゆるくつながっておく。

同じように、最近連絡が返ってこなくなった、つき合いが悪くなったという友人がいても、その人もまた一人でいたいときなのかもしれない。

相手の事情もわからないのに、「あいつ最近態度が悪いよな」「せっかく誘ってるのに、ここのところなんなんだ」と怒って関係を切ってはもったいない。

相手が戻ってきたいと思ったら、いつでもその居場所を用意してやる。

それくらいの懐の深さは持っていたいものだ。

あなたがこの世を去るときに別れの盃を交わしにやってきてくれる友達、仲間がいる人生はいいものだ。

せっかく縁があってかかわることができた人たちと、長くいい関係を築きたいのな

ら「許す」スタンスでいること。

小さなことでカリカリと怒るよりも、ときには超がつくほど底抜けのお人好しになる。

これも友達と長く、いい関係を楽しむ秘訣のひとつだ。

賢いバカは〝水に流す〟

根にもたない、追わない、しがみつかない

そうは言っても、友人、知人とのトラブルが起こったとき、簡単に相手を許すことができないこともある。人間関係でつらい思いをして悩む人もいるだろう。

友人に裏切られたと感じたとき、あるいは軽く扱われたと思ったときどうするか。

私だったら、そんなときに何日間も、あるいは何時間もイライラ、クヨクヨするのは時間がもったいないと考える。

さっさと切り替えて、もうその人のことを考えるのをやめにしたほうがいい。

そうでなければ、相手からこうむった被害にずっと注意を向け、不毛な時間とエネルギー浪費をしながら大切な人生の時間を過ごすことになってしまう。

ここはいっそのこと開き直ったほうが強い。

心にトゲが刺さったような思いがするとき、私は次のように考えることにしている。
「人は基本的にわがままで、気まぐれで、自分の都合で生きる動物。どんなにできた人でも必ずそうなる瞬間がある。それに、同じくらい忘れっぽい生き物。今、死ぬほど苦しく思って悩んでいたとしても、どうせ1年後に同じことで悩んではいない」と。

自分だって忙しいときはそうした不義理をどこかでやらかしているかもしれないし、誰かを傷つけているかもしれない。お互いさまだと割り切る。

そして一気に気持ちを切り替えて、**さっさと新しい出会いを求めに行く。**

「あ、この人とは今、なんだか歯車が合わないな」

「雑な対応になってきたな」

そう思った瞬間、クヨクヨ悩まずに**「新しい人と出会うキャンペーン」を開始する**のだ。もちろん、もともとの交流をすべて断ち切るわけではない。

新たに今の自分と波長の合う人、一緒にいて楽しい人を見つけ、未来への希望の種を自分でつくる。

つまり「つらい目にあった衝撃」にうずくまったり、立ち止まったりせずに、人生を前向きに進めるためのステップを積み上げ続けるのである。

ウダウダ悩む時間を持たないということだ。

誰かを恨んだりする時間を、新しい友情や大切な旧友へ愛を注ぐ時間に一秒でも多くあてる。

もちろん気がつけばそのまま縁が切れてしまった人もいる。しかし、それはそれでいいのだ。互いに前向きな楽しみや創造をするために、向き合えなくなったということなのだから。

イヤなことがあったら、その相手を攻めたり恨んだり、今すぐ無理に関係を改善しようとする時間を減らし、新しい出会いと絆をつくるためのアクションを始めよう。

そのほうが断然、新鮮でパワーに満ちた人間関係をつくり続けることができる。

新しい友人をつくれば、失礼な相手の記憶が消える

成功を阻む〝見えない鎖〟の正体

無論、親は大切な存在である。

自分の人生を投げ打って無償の愛を注いでくれた「特別な存在」だからだ。

しかし、親も人の子。男の成長にプラスにならないときもある。もちろん悪気があって足を引っ張るわけではなく、たいていは愛情の裏返しだったりする。

そのため、**「大きな目標」に挑戦するときには、いったん親と距離を置いたほうがいい**場合もある。そのほうが数倍もの力を発揮できるのである。

親との距離がなぜ成功につながるのか？

それは〝目に見えない鎖〟が解けるからである。親の近くにいると、無意識のうちに、見えない〝へその緒〟に縛られた状態になる。

「そんなバカな。俺はとっくに自立している」と反論したくなるかもしれない。しかし、**親との距離が近い限り、過去の自分を超えられないし、自分のカラは破れないのだ。**

「年老いた親と断絶？　そんな親不孝なことはできない」、そう思うかもしれないが、多少の距離を置きながら親の想像を超えた男になることこそ、本当の親孝行だろう。

ときどき親元を訪れ、「よかったこと」だけを報告すればいい。

それだけで、親はあなたを「未熟な子供」だとは思わなくなる。

たいていの親はいくつになっても「子供は子供」という思いを断ち切れない。だから近くにいるとつい心配になって、「転ばぬ先の杖」でいろいろと先回りして言いたくなるのだ。

「できっこない」「世の中はそんなに甘くない」「あんたはいい加減なんだから」。これらの呪文によって、あなたは「できない自分」に一気に引き戻されてしまう。いくらやる気を持って臨んでいたとしても、これでは出鼻をくじかれ、新しい挑戦どころではない。

しかし、ある程度の距離を置けばそんな心配はなくなる。

とにかくダメ出しをされて、ケンカにならないために、電話で「よかったことだけ」を報告することだ。細かいことは話さなくていい。万が一、またダメ出しされたら、「あっ、仕事の電話だ」と言って、途中で電話を切ればいい。

言い争いの時間を一秒たりともつくらない——それも親への思いやりだ。

そして、親からのダメ出しを耳にしなくなると、ある現象が起きる。

過去の「できない自分」との決別の瞬間がやってくるのだ。これは、一番重要な変化だ。自分の限界を忘れて、いろいろなことに挑戦できるようになり、親の思考の枠から飛び出し、自由に動くことができる。

「できる」という確証はないけれど、チャレンジしたいことに全力で立ち向かう力が湧いてくるのだ。

そして、この小さな挑戦のくり返しこそが、男を育てる。

男を磨いたり、夢に向かったりするのを親に見られるのは照れ臭いものだ。そして、夢の実現が危ういときにダメ出しされるのも腹が立つ。「ほら、やっぱりできないじゃない」なんて言われたら、モチベーションは下がるばかりである。

親は大切にしないといけないが頼りすぎてもダメだし、自分の能力や可能性を決めつけさせてもいけない。

私の生まれた家も、とにかく「ダメ出し」が多く、「話を聞いてもらえない環境」だった。しかし、今は仲のいい親子関係を保っている。それは、まず心を鬼にして親と距離を置き、次に親が無理だと言っていたことを私がすべてくつがえし、かなえたからである。

なりたい自分にならない限り、「どうせできっこない」と思い込んでいる親の前には顔を出せない。**困難を乗り越え、親の予想を覆したからこそ、「親と向き合う余裕」が生まれる。**「ほら見ろ！　できるじゃないか！　どんなもんだ！」と言える自分になれるのである。

夢がかなう前にはどうしていたか？

私の場合は、**たとえ何を言われても「親と自分は別の生き物だ」と割り切った。**

自分はたまたま、この両親のもとに生まれただけ。

この親から生まれてきたという事実があるだけで、人間としてはわかり合えない、「ただの他人」という考えを持つことにした。血のつながりはあるが、心はつながっていない他人。一時期はそう割り切った。

「わかり合えなくて当然」と思えば何ともない。腹も立たないし、いがみ合うこともない。

親子というのは不思議なもので、互いのことを思い出していないようでいて、実はいつも相手を思っているものだ。つまり、離れていても心の距離が離れることはない。ただ、物理的な距離が開いただけのことだ。

親子の絆は切っても切れない。

私は、３年間ほど親と音信不通に近い状態になったが、それが逆に功を奏した。その３年が互いを大きく成長させたのだ。

トラウマも甘えも消えた。親とのよかった思い出だけを胸に日々を過ごせるようになった。そして、「よかったこと」に対して感謝の気持ちが生まれた。

今でもある一定の距離は保っている。

親といえども適度に距離を置き、あまり深くまで腹を割って話さないほうがいいこともある。その結果、互いのいい思い出や感謝の気持ちが素直に湧き上がるというものだ。


これはなにも対親に限ったことではない。

男が本当の勝負をかけるときには「愛すべき人」でも、適度な距離を保ったほうがいい。

心の底から腹を割るのは信頼できる男友達や一緒に勝負をかける同志だけ。

そのほうが「強い自分」でいられるケースもある。

家族や恋人から保守的な考えを押しつけられたり、友人から否定的な言葉を浴びせられたりするようなら、いったん彼らと距離を置くことも必要である。

そのような言葉に左右されて、無意識に弱気になり、「変化」や「挑戦」をためらってしまうと、「男磨き」はいつまでも成就しないし、成功も訪れない。

自分の好きなこと、やりたいことを「形」にしたいなら、周囲の雑音が耳に入らない「孤独な戦いの時間」が不可欠である。

そのために、一時的に愛する人たちと距離を置く覚悟も、ときには必要なのである。

親に〝非情になる〟ことで、親孝行ができる

「かかわってはいけない人」を見極める

男を磨くには「危険な人物を回避すること」も重要になる。

他人がもたらす損害は、詐欺《さぎ》のような影響の大きなものから、不快な態度やマイナスの口グセに至るような、「小さな悪影響」までさまざまだ。

トラブルを発生させ、それによりストレスや実損を生じさせる原因となる相手を、事前に見抜くことが必要だ。なぜかというと、トラブルは「前向きに生きよう」とか「男をしっかり磨こう」といった意欲を根本から削ぐからだ。

この〝危険な相手〟は一見、普通の人であることが多い。また、一見〝いい人〟に見えるときもある。しかし、実際に多大な迷惑を運んでくる。

そんな相手を、広い意味を含めて、ここでは「信用できない人」と表現する。

まず**「信用できない男」は、「他人の悪口が多く、その話が長い。しかも、一方的である」という特徴がある。**人が誰に腹を立てるかは、そもそも価値観の問題であり、人それぞれ異なるものだ。だが、あまりにも小さいことで執拗《しつよう》に、「聞いている相手が辟易としていることにも気づかずに悪口を言い続ける男」は危ない。

誰にも許せないことが少なくとも5つや6つあって、怒ることだってある。

しかし、怒る頻度がほかの人と比べてあまりにも多く、しかもそれが些細なことに思える場合には気をつけよう。それは人が離れていくタイプの人物であり、成功しない人の典型といえる。

その人の周囲にいるのは自分のアイデアも意見も持たないＹＥＳマンだけなのである。

だいいち、聞いているあなたの気分も悪いだろう。モチベーションを下げられるのも大きな損害のひとつなのである。

この手の人と出会ったら、できるだけかかわらないほうがいい。

そういう人は何かに失敗しても、きっと誰かのせいにするだろう。さらに反論すれば、今度はあなたが誹謗中傷《ひぼうちゅうしょう》のターゲットになり、不快な時間を過ごすことになる。

また、相手がこちらの思いに気づかないというのは、人間関係力が決定的に不足していることの証である。相手のあいづちがない、反応がないにもかかわらず、一方的に感情論をまくし立て、突然に話を終える。

まるで、相手の口に自分の言葉を押し込むかのようである。そういった人間は絶対に避けたほうがいい。この手の人はいつも〝相手に裏切られた〟というようなことを言うが、実際には相手が危険を察知して逃げただけの話なのである。

そのほかには、「権威と結びついていることを誇張して言う人」がいる。

有名な人や権力がある人と知り合いであることを吹聴したりする。そして、つじつまが合わないことを指摘されると、「そんなこと、俺を信用しているなら聞くものじゃない」といわんばかりにやや切れ気味になる。よくあるビジネス上の〝詐欺〟は、この手で迫ってくる。


「口の利き方が汚い男」も信用してはいけない。

酒の席などでくだけた話をしているときは別だが、商談の際にも妙にくだけた言葉を使う相手は気をつけたほうがいい。たとえば「面倒くさいからこうしましょう」といった言い方は、通常商談では使わない。これは、仕事に対する熱意が低い証拠。すぐに「ムダだから」「バカバカしい」といった言葉を平気で使う人も同様である。すぐに仕事を放り投げるし、たいした知恵も出さない。

逆に、仕事もうまくいっていないからこそ言葉が汚くなるともいえる。

あとは、「身近な友人、後輩などから金を借りまくる人」も避けたい。「うちの会社、黒字なんだけど、ちょっと運転資金が足りなくて」と言って借用書は書くけれど、会社の貸借対照表は見せない相手の話は、決して聞いてはいけない。すでにカードも使えず、銀行も、親もビジネスパートナーも貸してくれないからこそ、身近な人に頼るしかないのだ。もう末期状態である。こういう人は、たとえ〝いい人〟でも、絶対に金は貸してはいけない。

相手がそこまで金に困っていない場合でも、「連帯保証人」へのサインは基本的に断ること。

NO! と言うことは、決して悪いことではない。

連帯保証人になるのは、リスクに相応したメリットや報酬が明確に期待される場合か、自分がかかわりたいと思える案件のみにすべきだ。

私には痛い経験がある。

15年ほど前、当時勤めていた会社の不動産の賃貸連帯保証の欄にサインをした。その会社を退社してずいぶん経ってからその会社は破産。すると、不動産会社から家賃未払い分など多額の請求が来た。「もう、その会社に所属していない」と主張しても、サインをした以上、法的には支払いの義務が生じることをそのとき初めて知った。最終的にはことなきを得たが、この間のストレスは多大であった。たった一枚の紙が災いを運んできたのである。

ここで紹介した「信用できない人たち」は氷山の一角である。

もちろん人を信じることも大事だが、下手なことで足元をすくわれることのないよう、〝守り〟はきちんと固めておくことが重要である。

つき合う人を変えた翌日から、人生が好転する

こんな「ひと言」だけは、決して口にしてはならない

毎回、口グセのように「何かいい話、ない？」と言う男は信用されない。

たいていは、今の収入に不満があり、金のことしか頭にない。ワクワク感や楽しい気持ちを持って仕事をしていないから、協力者にも恵まれないし、ツキもない。ツキは〝ワクワクしながら、信念を持って仕事をする人〟のところに集まるのである。金を稼ぐ以外に、その仕事を楽しんだり、そんな自分を「カッコいい」と感じたりする気持ちもないから、根気もない。壁にぶち当たるとすぐに考えることをやめてしまったりする。いや、深く考える前に〝あきらめてしまう〟のである。

だいたい「何かいい話、ない？」と聞くこと自体、真剣に取り組んでいる相手に対して失礼だ。他力本願でやる気が感じられない。それに、自分は与えるもののないの

に、人のおこぼれにあずかろうとしているのと同じである。情熱も、真剣さも見られない。そのような人と新しいことに一緒に挑戦したいと思う人はいないだろう。
たとえ、カバン持ちにだってしたくないはずだ。

自分が情報を得たいのなら、人にゆだねるのではなく自分がひらめいたことを「どう思う?」とたずねるのが正しい。

または、「最近、どんな仕事をしていますか?」「今後、伸びそうなものってなんでしょうね。○○さんの業界では、どんなことが流行っていますか?」と聞くのが筋である。

どんなに親しい間柄でも、「何かいい話、ない?」という言葉は絶対に言ってはいけない。それは頭の中が「すっからかんです」と言っているようなものである。
たとえ相手が親友であったとしても、軽く見られるだけである。

「何かない?」ではなく「これについてどう思う?」と切り出そう

一度聞いたら忘れられない「あだ名」で自己紹介

大人になると、相手との距離を測り、踏み込みすぎたり、自分を出しすぎたりしないように気をつけることが多くなりがちである。

しかし、そのために、なかなか相手との距離が縮められず、表面的なつき合いしかできなくなる。

けれど、いくつになっても「友達」と呼べる相手は増やし続けたほうがいい。

新しい友達を増やすには、**なるべく早い段階で「愛称」で呼んでみよう。**そのほうが打ち解けやすくなる。

「～さん」とかしこまって呼んでいるときには、無意識に自分の心の扉を閉ざしているのである。

そこで**「愛称」で呼ぶようになると、相手との距離がグンと縮まる。**

また、相手に対する愛着が湧いてくるのである。

私は、自分から「普段、こんなふうに呼ばれているんですよ」と言うこともある。

なんとなく似ているなと思われる、三枚目路線の芸能人や芸人のあだ名などだ。

どれも自分を「落とす」ことで、相手に親しみを持ってもらえるものだ。まずは自分の「ダサくて覚えやすいあだ名」を披露する。

あなたの心が開けば、相手の心も開く。

最近、新しい友達が増えていないと思ったら、ぜひこの方法を試してみてほしい。


愛称は、対人距離を一気に縮めるスペシャルアイテム

「波風」を立てるべきとき

人は誰しも大人になると、無意識のうちにトラブルや面倒なことを避け、波風の立たない生活を求めるようになる。そして、見て見ぬフリをしたり、自分は関係のないことと耳を閉ざしてしまったりすることもあるだろう。


「なぜ黙って見ているの？」

「なぜ『大丈夫？』って、聞いてあげないの？」

「知っているのに、どうして教えてくれなかったの？」


あなたもまた、まわりの誰かにそう思われてしまったことがあるのではなかろうか。

放置された人は、ひどく傷つき孤独を感じ、あなたと距離を置こうとするだろう。

友達同士の仲が不穏なムードになっていたら？　会社の同僚や上司・部下が敵対関係になっているのを目にしたら？　あなたはどんな行動をとるだろうか。

一応、「大変だね」と同調し、あとは当人同士に任せていたりしないだろうか。「騒ぎになるといけないから」「誰かが代わりに言ってくれるだろう」

そんな理由で、「ま、いいか」と受け流す人も多いだろう。

会社勤めをしていたとき、チーム全体のミスだったものを押しつけられそうになっていた同僚がいた。事情を知らない人から同僚が責められているとき、上司は口を挟んだり守ったりすることなく、静観していたのだ。自分が責任を取るのがイヤだったのだろう。

どちらが正しくないのか？　事実関係を調べればたいていはすぐにわかるし、近くで見ていた人たちはわかっていたはずだ。

だが、誰も面倒なことにはかかわりたくないので、異議を唱える人はいない。同僚も「自分のせいではない」とも言えずに、泣き寝入りに近い形になっていた。

これを見過ごして、なんとなく場が収まるまでやりすごすのは、「大人の社交術」

とはいえない。

私は「余計な口を挟むかもしれませんが、〇〇さんは、ここまで仕事を仕上げていました。ここから先のミスは、〇〇さんの責任ではないと思います」と申告した。周囲から煙たがられたりもしたし、「余計なことを言いやがって」という目でも見られた。しかし私は、今でも正しかったと思っている。むしろ、言ってよかったと心底思う。

もし、**周囲に困っている人がいたら、きちんと助けてあげるべきだ。**

自分にとって都合がいいほうの肩を持つのではなく、**客観的に見て「謝るべき人」に謝らせ、「謝られた人」には水に流すようにうながす。**この「水に流す」ことも、男には必要な要素だということを忘れてはいけない。

見ないフリをするのではなく、通すべき筋は通す。あなたのいる環境も格段に居心地がよくなるはずだ。

我が身を差し置いて、声なき声を救える「バカ」になれ

頑張っている友人をとことん応援しよう

頑張っている人を応援しよう。

応援しながら、相手の元気を自分の心に吸収しよう。

頑張っている人は、元気の素をあなたにプレゼントしてくれる貴重な存在である。

相手を応援する際の注意点をひとつ。

それは、必ずポジティブな言葉をかけるということだ。

相手を気遣うつもりで「大変だよね」とか「全然、自由がないんじゃない?」と声をかける人がいるが、頑張っている人はそんな言葉をかけられても、少しも心地よいとは感じない。

「すごいね。頑張ってるね。刺激になるよ。そのプロジェクトは絶対にうまくいくよ！」

「おー、すごいね。見ていて勉強になるよ！　うまくいったらお祝いしようね」

もし相手がスランプを脱しつつある時期なら、

「そうやって○○君が頑張ることで、喜ぶ人がいっぱいいるんだよね。ガンガン頑張ってほしいな。応援しているよ」

「その頑張っている姿、すごくカッコいいよ」

「いや〜、俺もお前の頑張りに刺激されて、○○をやってみることにしたよ。また報告するね」

と言う。あえてポジティブに心の底から応援の声を発する。

頑張っている人は、人の役に立っていると実感できることに、この上ない喜びを感じる。自分の生き方が誰かに影響を与えているということは、彼らにとって大きな喜びなのである。

周囲に頑張っている人がいたら、心から応援の言葉をかけよう。

そうすることで、あなたの心にも希望が満ちる。

決して相手をねたんだり、相手のアラ探しなどをしたりしてはいけない。それをすればするほど、あなたのもとにアンラッキーな事柄が起こるだけである。

人は頑張っているときに、応援してくれたり、勇気づけてくれたりした相手を決して忘れない。

頑張る人にとっての〝忘れられない存在〟になることは、あなたにとっても大きな財産になるはずだ。

今度、あなたが勝負するときがきたら、その人たちは必ず助けになってくれるはずである。

頑張る人を応援すると自分の心も強くなる

反対意見に耳を傾ける「勇気」があるか?

複数の人に意見やアイデアを提案されたり、アドバイスされたりすると、最後まで聞かずに反論したり、パニックを起こしてしまったりする男がいる。

中には「人の意見を聞くと、やる気がなくなるから聞かない」と、人のアドバイスに耳を傾けようとしない人もいる。確かに、反対意見を言われるのは、自分を批判されているようで、心地よくないかもしれない。

けれど、それらは「マーケティングデータ」として、ありがたく、客観的に受け入れたほうが、あとあと自分のためになるのである。下手に出るべきときは出る。これも器のデカい男の振る舞いだ。

しっかりと結論まで聞き、ときにはメモを取ろう。ここで人の意見を聞き入れる懐を持てるかどうかで、あなたの存在感はまったく違ってくる。

きちんと意見を受け止める姿勢、聞き止める姿勢、それらはすべて「真摯《しんし》な態度」と映る。そして、**意見してくれた人々はまた何か気づいたときに、あなたに有効な情報を提供してくれる**のである。

自分の世界だけでものごとを進めるほうが簡単だが、大きな落とし穴に陥ることもある。人から意見を募ることで、自分一人では考えもつかないようなアイデアが出てくることもある。また、「一緒に考えている」という連帯感から、協力者もどんどん増えてくるのである。

「何を言っても聞いてくれない人」と「最後まで冷静に話を聞いてくれる人」では、断然、後者の人を応援したくなるのは、当然のことである。

「さあ、どんどん意見を言ってくれ！」「言いにくいことも隠さずに伝えてくれ！」と大きく構えるスタンスは、大事を成す男には必要不可欠である。

どっしり構えて相手の話を聞く、それだけで人望と知恵が集まる

友人が仕事の〝突破口〟になることもある！

年齢が上がるとともに、仕事上の責任は大きくなり、同時に仕事の「範囲」「権限」も広がっていく。過去になかったような斬新な企画を考え、売上を伸ばし、会社の業績に貢献しなければならなくなる。社内で作業をこなすだけでは新しい成果は上がらない。

他社と提携したり、他業界の成功例を取り入れたりすることによって、仕事をつくり上げることもある。当然社外に出る機会も増えるだろう。

そんなときにはまず、**別の会社に勤める友達に腹を割って相談を持ちかけてみよう。**

あらたまる必要はないけれど、少しだけビジネスの雰囲気を持ちながら、まずは自分が今、どんな仕事をしていて、どんな成果を求められているのかを説明する。

次に、相手の仕事内容にも熱心に耳を傾ける。相手の報酬形態や、やりがいなども聞く。そして、本題に入る。

「○○という成果を求められているのだけれど、それを達成するにはどうしたらいいだろう？　△△という方法があるとして、もし君の会社と一緒に仕事をするとしたら、どんなやり方があるだろう？」

とあくまで、アドバイスを請うのである。「こんな企画を実現するにはどうしたらいいのだろう？」と、具体的に質問してもいいだろう。ここでセコいプライドなど捨てて、心を開くことだ。

このとき、プライベートな場面では見られなかった、友達の意外な一面や仕事に対する考え方を再発見することができる。

友達はこれまで何年もの間、一日の大半を仕事に費やしてきたはずである。プロとしてのノウハウもたくさん持っているだろう。それらの知識を、友達であるあなたに余すところなく披露してくれるはずだ。

その業界のプロを味方につける。こんなに頼もしいことはない。

私は20代後半の頃にこのことに気づき、あるとき5人の友達を同時に集めた。

それまで一度も仕事の話などしたことがなかったので、最初はなんともいえない気恥ずかしさがあったが、話をするうちにだんだんと打ち解け、最後にはこれまでになく盛り上がった。そして、提携して、お互いに楽しめる企画を提案し合った。一夜にして、「業種を越えたコラボレーション」の青写真ができたのである。

これまでにプライベートでつき合いがあったからこそ、互いに相手が興味を持ちそうな発想の方向やセンスや心意気が理解できたといえる。それ以来、一緒にできる仕事を考えることが仲間内で流行った。

もちろん、甘えは許されない。**「友達だから」と馴れ合いでやるのではなく、友達だからこそ、本気でいいものを提供し合うことが大切だ。**

普段は仲がいい相手でも、容赦はしない。仕事なのだからキツいことを言ってもいい。また、プライベートで仲がよくても、仕事ではうまくいかない相手もいるだろう。その場合は、ただ「仕事では合わなかった」というだけで、友達関係とは切り分けて考えるといい。

これが「仕事で遊ぶ」ということだ。

最高の結果を出すために、仕事で遊ぶ。仕事をネタに遊べるようになろう。

くれぐれも、手抜きは禁物。ほかの誰との仕事よりも、きっちり仕上げよう。友達だからこそ、すばらしい仕事をする。そうすることで、友情もますます強固なものとなる。

友達と〝仕事〟で真剣に遊ぶべし

イヤな相手を「反面教師」にする器量を持つ

相手の態度にムッとしたり、不快な気分にさせられたりしたときには、どうすればいいだろうか?

それを言い出せずに、夜寝る前や一人になったときなどに、そのときの状況を思い返して、心の中でつい悶々とし、イヤな気分をいつまでも引きずってしまうことがあるだろう。

こんなときには、せっかく一度イヤな思いをしたのだから、自分にプラスになるように考えないともったいない。

その相手を「反面教師」として、「自分ならこうするのに……」と考え直すのである。

・すぐに謝らない人がいて不快だった――「すぐに謝る習慣」をつけよう

・不潔な人がいて腹が立った――身だしなみには特に注意しよう
・自慢話ばかりする相手が気になった――自分は楽しい話をしよう
・不機嫌そうな態度が気になった――笑顔で楽しそうに振る舞おう
・人をバカにしたような話し方にイラついた――人を敬う話し方をしよう
・みえみえの嘘をつかれた――誠実にごまかさずに話をしよう

イヤな経験をしたおかげで、自分も陥りがちな欠点を直すことができるのである。**不快な思いをしてどうしようもないときは、このように〝踏み台〟にして、自分を磨けばいい。**これで十分、元を取ることができるはずだ。

もちろん「不快のもと」を取り去るために、相手に注意をうながす。そのためには、言いにくいことを口にする勇気を忘れてはいけない。

不快な思いも、それを踏み台にすれば自分の糧になる

6章

【男の夢】

でかい夢を描く、磨く、現実にする

自分の夢を3秒以内に言えるか

人生をもっと自由に、そして愉快なものにしたい。

そう思うなら「夢は?」と聞かれて「わからない」「ない」「思いつかない」などと〝口ごもる人〟になってはいけない。

昨今、残念なことにこのような人が増えているように思う。

まだ20代なのに、仕事のグチが話の8割を占めている。

「もう家庭を持ったから、そんなこと言っていられないよ」と30代以上の男性には一蹴される。

なぜ自分で自分の人生を楽しくしないのか?

夢があることが偉いわけでも、ポジティブに生きないといけない法律があるわけでもない。人の生き方なんて自由だから「夢を持ちなさい」などと押しつける気はない。

しかし、あなたは今、よりよい人生、より愉快な人生、より笑えて満足できる人生を謳歌したいと思って本書を読んでいる。

だから言いたい。

「夢は？」と聞かれたら即座に答えられる人になろう。

「他人から笑われるような夢」をひとつくらいは胸に抱こう。

大きな夢でも小さな夢でもいい。


ちなみに僕の夢は１００万部の作品を書き、読者をハッピーにして、この国を誰もがイキイキと自分の力を出せる国に変えることだ。そして全国各地で大パーティーを開くこと。そのついでに日本に「バカンス法」ができて、みんながもっともっと生きることを楽しめばいいと思っている。

小さな夢もある。それは三浦半島のとある磯で、40センチ級のクロダイを釣り上げることだ。毎回、岩場に逃げ込まれたり、糸を切られたりで、釣り上げられたためしがない。

この2つの夢は同等だ。どちらを思い浮かべてもワクワクする。

もっと枠を外して、妄想をふくらませて、夢を抱こう。

「夢」「やりたいこと」の話題になったら間髪入れず、率先して言葉にしようではないか。

私の主宰している『自由人生塾』の日曜学校には「夢」を抱く男女が集まる。

夢を実現するにはどうしたらいいか、を楽しく前向きに真剣にみんなで考えている。実現するためのアイデアを交換する会だ。ときには、このような会を親しい仲間たちで催してみるのもいいだろう。

夢を描いたときから、同じ夢を持った人々とのつながりが加速度的に広がっていく。

夢につながる道が自然とできあがっていくのだ。

一度このポジティブの連鎖を味わうと、やみつきになる。

あなたもぜひ試してみてほしい。

仕事のグチより「やりたいこと」の話をしよう

「夢を見つけたい人」のための簡単ワーク

夢を持ったほうがいい、夢のある人生は幸せだ。そんな話をすると必ず「今さら夢なんて……」「そんなこと言っている場合じゃない」と言う人たちがいる。

私の友人にも何人かいる。彼らはみなこう言う。

「夢？　忙しくてそれどころじゃないんだよ」

「それよりも、目の前の仕事をきっちりやってくれるほうがはるかにありがたい」

「結局、安定した稼ぎがある人が生き残るでしょ」

今の社会に適合できている、今の仕事に納得できる、満足できる人々はそれでいい。

だが、私を含む何割かの人は「夢」なしには生きられない。

社会の型に自分を当てはめるだけの毎日がたまらなくイヤで、自分の能力を発揮しきれない。すでに完成された道をたどるよりも、自分自身で道を切り開きながら、打ち上げ花火のように大輪の華を咲かせたい。

そういう人は夢を描き、その未来に向かうことで満たされる。自分だけの目標を掲げて進んだ結果、収入もやりがいも格段に上がったという人間が何人もいる。

「夢」を持つということは心に「太陽」を持つことと同じだ。

なりたい自分、あこがれの自分という目標があり、そうなるためにはコツコツと目の前のことをクリアし、地道な努力を積み重ねる。それがどれほど充実した日々をつくり出すかは、一度「夢」や「あこがれ」を抱いてみればわかる。

今すぐに思い当たることがない人は、子供の頃にやってみたかったこと、将来やりたいと思ったことを思い浮かべてみてほしい。それを思い出すだけでも「夢の発見」につながる。今、休日を1カ月与えられたら、何三昧《ざんまい》で過ごしたいだろうか？

それを正直に考え、文字や言葉にしてみるとそれがイコール「夢」となる場合がある。「何をしているともっとも自分らしくいられるか？」「長時間やり続けても飽きないものは何か？」に気づくことができる。

さらにもうひとつ。**「周囲の人から自分がどう見えているかを知る」**ことも大切だ。

まずは友人に聞いてみよう。

「俺、どんなことをすると輝くかな？」「どんな活動が合っているかな？」と。

友人は実は、あなたよりもっとあなたのことを理解していることがある。私もそうだった。当時はすでにあきらめかけていた「書く」ことへの情熱を友人によって思い出させてもらった経験がある。

「書くことで活動するといいと思う」

そのひと言で「自分の天職」を意識した過去がある。


夢を追ったら、安定した生活も収入も何もかも失うと思っている人は間違いだ。

そんな中途半端なものは「夢」とは呼ばない。あなたが本気で実現したい夢なら、やり切ったあかつきには、収入も地位も名誉も後からついてくるものだ。

そんな人生を充実させる「夢」を、ぜひ見つけに行こう。

〝自分が輝けること〟に熱中できた人が成功する

成功は「遅い」ほうがいいこともある

「少なくとも成功は遅く来るほどよい。そのほうが君はもっと徹底的に自分を出せるだろう」

この言葉を残したのは、フランスの画家・モローである。

もちろん一日でも早く成功するに越したことはない。

しかし、**その成功が遅れてやってきたとしても、決して嘆くことはない。**

今、たとえあなたが成功していないとしても、それを嘆かずに夢の途中を楽しめばいい。

成功は、ある程度の過程を経てからやってきたほうが、喜びも増す。

その途中で悩んだ一瞬一瞬が、すべて人生を振り返るときの「ドラマ」となる。

ドラマは、山あり谷あり。主人公が悩んだり苦しんだりしながら、最終的にハッピーエンドになるというシナリオだからこそ、盛り上がる。最初から最後まで、幸せなシーンばかりだったらつまらないだろう。人生だって、それと同じである。

奈落の底に突き落とされたように感じる日もある。乗り越えられそうもない壁に心が折れ、ヤケクソになるときだってある。あきらめて、ほかの道を模索するときもあるだろう。しかしその紆余曲折《うよきょくせつ》がすべて、後に続く挑戦者たちへの道しるべとなるのである。

部下を育成するためのノウハウになったり、講演のネタになったり、本の題材になったりと、経験として生きてくる。すべてはビジネスを活性化させる二次的な財産となる。

生きざま自体が貴重な「コンテンツ」となる。

「たぐいまれな才能」や「天賦の運の強さ」を持った人の話は人々の心を打たない。世の中には迷わない人よりも、迷ったり、うまくいかなかったりした人のほうが多いのだ。試行錯誤を重ね、浮き沈みを経験しながら、なんとか成功にたどりついた人の話のほうが、人の心を打つのである。

そんな七転び八起きの人生に、人々は自分の未来を重ね合わせる。

もうひとつ「遅い成功」がいい理由がある。

紆余曲折の途中で身につけたスキルが「訪れた成功」を太くたくましく、そして折れにくくしてくれるのである。

私も紆余曲折を重ねることによって、さまざまなビジネススキルを身につけることができた。その力は100年に一度といわれるこの不況を生き抜く力になっている。

文筆業を軸に、イベント、講演、携帯コンテンツの運営など、関連ビジネスを広げられるのも、過去に失敗を重ねながら学んだ経験があるからこそである。

成功が遅いと、その過程で学んだ強みで成功の幹を太くすることができる。

また、失敗や苦労がその人らしい〝味〟となってにじみ出てくる、というメリットがある。

私は29歳までは会社勤めのサラリーマンだったが、ずっと〝文筆家〟〝表現者〟になる夢を胸に抱き続けてきた。そして、その夢は果たして本当にかなうのか？　という不安もときに感じながら、「いつかは役に立つだろう」とあきらめることなく、さまざまな交流活動を続けてきた。

このまわり道こそが、今の自分を支えているといっても過言ではない。

会社での人間関係も、プライベートも、起業や会社経営の厳しさも、世の中の表も裏も知らずして表現者になっていたらと想像すると、ゾッとする。もし20代半ばにしてそれなりに成功していたとしたら、私の表現の幅は今よりもっともっと狭かっただろう。

人間としての幅を広げることができたのは、成功しようとあがき、失敗しながらも突き進んだ「まわり道」があったからだ。その中で、私は必死に一瞬一瞬を生きていた。

まわり道も悪くない。それはいつか必ずあなたの「財産」になるのだから。

成功が遅ければ遅い分、積み重ねられた経験が強い幹になる

最初から「大目標」を目指さなくていい

成功は明確な目標があってこそ、可能になる。

だから、**成功したいと思ったら、まずは具体的な目標を掲げること。それは大きなものでなくても構わない。**

まずは1日の目標、そして1年の目標を立ててみるだけでいい。

そうは言っても、なかなか実行できないことが多いかもしれない。

それは、「計画を立てる時間」が捻出できないからである。

まずは、計画を立てる時間を手帳に書き込むことだ。

15分でもいい。その時間を捻出できるかどうかが、運命の別れ道である。

目標は箇条書きにし、クリアできた事柄は上から蛍光ペンでつぶしていく。

これが小さな達成感を生み出す。「ああ、なんとかできたな」という満足感を日々味わうことがポイントである。

「ああ、また達成できなかった」

「俺はなんて意志が弱いんだろう」

と自分を責める回数はできるだけ少ないほうがいい。それよりも、

「こんなにできた」

「今日はこれだけ進んだ」

と、自分が日々前進しているのを実感することが大切なのである。


次のような目標ならばほんの少しの努力で達成できるだろう。
・朝1時間早く起きる
・甘い菓子を我慢してフルーツを食べる
・月に1回飲み会をセッティングする
・1日30分必ず読書する
目標が特にないという人は、まずは目標を立てることを「目標」にすること。

そして、**まずは15分を捻出し、この1週間、1カ月の目標を立ててみる。それを手帳に書き込み、くり返し見る習慣をつける。**

これを行なううちに、いい意味で、手帳に「縛られる」ようになる。手帳に書いたことを少しでも実現するために、よりよく生きる努力をするようになる。

そうして、次第に「ああ、あれもやれなかった。これもやれなかった」という後悔を減らすことができる。

この手の後悔は少なければ少ないほどいい。

よくない感情と決別できるだけでも、研ぎ澄まされた男に近づいていく。

1日15分の習慣が、魅力ある男をつくる

「勝ち目のある冒険」から始めよう

未知の世界に挑戦し、生き延びていくためには「命綱」も必要だ。

たとえば、今の仕事に疑問を感じたとき。何も考えずに会社を辞めて飛び出すのは一見勇気があるように見えるが、生活のことを考えると少々危険な賭けではある。今後の収入のあてがなく、しかも家族を養い、家賃や住宅ローンを払う必要がある状況でそのような決断をするのは、正直、あまりおすすめできない。

私は命綱もつけずに、かなり無謀な決断をした、と今振り返って思う。住宅ローンを組み、妻と2人の子供を抱えながら、会社を辞めた。まるで、ボクシングの試合経験もない人が、いきなりリングに上がってプロの格闘家と殴り合うようなものである。

たまたま運がよかったのと死に物狂いで頑張ったのが功を奏して、なんとか今の状態を築くことができたが、こんな危険はおかさないに越したことはないと思う。

決して、状況を一気に変えるだけが「挑戦」ではない。

今の仕事に忙殺されて、自分のやりたいことができない、というのであれば、まずは第一ステップとして、「食うための仕事」と「夢を追うための仕事」を分けて考えることから始めるのもいいだろう。定時で上がれる仕事を見つけ、以後の時間を自分の時間に当ててもいい。ただし、「興味のある分野」に就くことが大切だ。

何かひとつ、夢に接点のあることにかかわっていれば、心は強く、輝いていられるはず。夢に近い場所で毎日を過ごし、なりたい自分へとステップアップしていく。

このように、必要な手順を踏んできちんと準備をするからこそ、安心して新しいことに挑戦できるのである。夢を追いながらも誰かに頼ることなく、まずは自分で最低限を稼ぐこと。金を稼ぐことは男の責任のひとつだからだ。

沈まない基盤があればこそ、思い切った挑戦ができる!

必ず結果を出す人の自由時間の使い方

これまで、「自由はいい」ということをくり返し伝えてきたが、**「自由には覚悟も必要だ」**ということを書いておかなくてはいけない。

自由は、サバイバルでもある。

たとえば、会社を辞めてフリーになった場合、「会社に属さない」ということは〝野に放たれた動物と同じ〟であるということを覚えておいてほしい。

好きなように生き、変なしがらみもなくてラクだと感じることもあるだろう。

けれど、一人で戦い抜かないといけないこともある。

頼れるのは自分だけ。独立直後には、朝4時まで仕事をし、7時前に起きて再び作業を始めることもあった。そのまま、打合せに出かけていくこともある。

ただ全力でやるだけでなく、自分で「結果」を生み出す必要があるからだ。

やるのも自分、やらないのも自分。結果を出すのも出さないのも、自己責任。こういう覚悟ができる人だけが自由人になれる。

「会社にいながらにして自由になる」という方法もあるだろう。

まずは「いい仕事」をすること。成果を出しながら、自分のキャパシティを大幅に超える仕事を引き受けたりしないことが大事である。

そして、一番大切なのが「自分の時間を意識すること」である。

平日の、朝起きてから出社までの1時間、仕事が終わったあと、金曜日の晩から月曜日の朝までの足かけ4日間、いかに自分を会社と切り離して、「自分時間」を楽しむかにかかってくる。

「会社に縛られて、なかなか自由な時間が取れなくて」と思っている人もいるかもしれないが、あらためて見直してみると、実際にはこんなにたくさんの「自分時間」があるということに、まずは気づくだろう。

この自分時間をいかに「自分らしく過ごせるか」。

それが自由の追求ではないだろうか。
いずれにしろ、自由は常にストイックに求めていくものなのである。

ストイックになれるから、自由にもなれる

「無理だ」と言われたときこそ、もっと〝バカ〟になれ

仕事をする上でも人づき合いの場でも、常識は必要だ。

できる限りミスを減らし、堅実に生きるための知恵だ。きちんと相手を思いやる常識的な行動の積み重ねが信頼を生む。人から信頼されたいなら、地道な努力と小さな成果のくり返しが不可欠だ。

これは間違いない。住宅ローンのことを考えてほしい。3年以上同じ会社で働き、返済する力があると判断された人にしか融資されないのだ。

だが、夢を追う人たちにとって、ときおりこの「常識」が邪魔になることがある。

夢追い人、自由人の発想は常識人によっていともたやすく否定される。しかし、「おもしろいけれどねえ～（笑）。現実には難しいよなあ」と笑われたこと、そういうも

のにこそ人生を変えるミラクルが宿る。

大切なことなのでもう一度くり返して言おう。

まわりからそんなことは無理だと言われたことにひるまずに大胆に挑戦して初めて、あなたの夢はかなうのだ。


私もひとつ「それはおもしろいけれど難しいんじゃない？」と言われたビジネスがある。

２０１０年にスタートしたエッセイスト作家・文章力養成スクールは、私を中心とする現役の作家たちが「書くことを学びたい人」にマンツーマンで指導する「文章力養成・作家養成ジム」である。

私が通っているキックボクシングジムで、現役チャンピオンなどのプロが、生涯をかけて得たテクニックを素人に伝えるため、直接ミットを持って打たせ、指導するものがあるのだが、その形式をそのまま「文章の世界」で実現し、「スポーツ感覚で頭にいい汗をかく」というコンセプトでスタートしたものだった。

「響きはいいけれどね、スポーツとは違うから、マンツーマンで指導と言っても何をどうやるの？」

「現役の何十冊も出しているプロの作家の協力が得られるの？」

「塾生が40人集まったら、一人に月3回としても月間120回も指導する。現実的に可能なの？」

などさまざまな意見が飛んできた。しかし私は誰もやっていないビジネスを実現する、ということに全力を注ぎたいと思った。もし形にできたら、誰もやったことのないビジネスモデルが生まれることになる。一気に突き抜けた話題性を手に入れることもできるのだ。

一対一の真剣な練習、また日々鍛錬を積んで成長していく人たちの笑顔に魅了され、疲れて倒れそうになっても、興奮に支えられ、毎日毎日、生徒に真剣に向き合った。気がつけば今では通算2600回のレッスンを突破した。塾からデビューする新人作家も現われ、本の出版、連載、講演などさまざまな場で活躍している。当初目指していた、「オンリーワンの個性と成果」をつくることができたのだ。

おかげで毎日レッスン後は1ミリも体力が残っていない状態だ。

しかし爽快である。気絶するように眠れる。世の中の未来のために、夢を持つ人たちのために人生を使っている充実感がある。自分の後に続く人たちがたくさん現われようとしている。楽しくて辞められない。

誰よりもバカなことを、私は誰よりも真面目に突き詰めて考えているのだと自負している。どんなに無謀だと言われようとも、真面目に、コツコツと、信頼を得るための努力を続ける。社会的信頼だけでなく、自分からの信頼も得られるのである。

たまに夢を追う人たちの中に、ここを間違えてしまう人がいる。

大きなことを言っただけで満足してしまい、実際に続かない。「あのときのあれはどうなったの?」と聞くと言葉を濁す。これでは信頼は得られない。

常識破りの夢を追う人こそ、「信頼を得る」ことが重要だ。そのためには継続と努力と地道さが欠かせないのである。

私はこの「潮凪道場」を力尽きるまでやり続ける。

息切れしながらも〝バカ〟をまっとうするのだ。

〝バカなこと〟こそ、真剣に丁寧に継続する

夢を語る相手を間違えるな

夢を語るときには、相手を間違えてはいけない。

友情があっても夢を語るには向いていない人もいるからだ。いつも前向きで、明るくて、ユニークだったとしても、それが「生き方」にも反映されているとは限らない。

そういう人が必ずしも夢を見る人とはいえないのである。

リスクが少しでもあると、「そんなの、うまくいかないよ」と打ち消すような発言をする。自分の考えや感覚と少しでも異なるとすぐに否定的になる。普通の会話では、前向きなのに、真面目な話になると、とたんに頭が固くなり、融通が利かなくなる。

こういう相手には、夢を語ってもつぶされるだけである。

逆に、普段はおとなしくて温厚なのに、夢を語ったり、実現するのが難しそうな目

標を言ったりすると、

「やってみなけりゃわからないから、やってみようよ」と、人のやる気に火をつけてくれるタイプの人もいる。

夢を育てられる人かどうかは、その人の普段の姿からは思いもつかないのである。

「将来の夢を語ろう」と、人を集めるときに気をつけるべきことがひとつある。

それは、「なんでも否定したがる、ネガティブな口グセがある人」を呼んではいけないということだ。いかに、その人が正しいことを言っていたとしても、必ず場の空気が悪くなる。参加したほかの人に、「せっかく明るい未来の話をしているのに、あのような空気は楽しくないから、もう参加したくない」と思わせてしまうのである。

未来について考えたいときには、人の夢を笑ったり、頭ごなしに否定したりするクセのある人は呼ばないほうがいい。

夢を語る相手は選ばなければならない。

夢はまず、それを育ててくれそうな人に〝だけ〟話す

「夢の語り場」を持つ

私の人生は**「夢を語り合う場」**によって形づくられてきた。
学校でもない。会社でもない。セミナーでもない。
気のおけない友人たちとの自由で真剣な語らいの場だ。２００１年当時「やってみたいこと」を語らう会を毎週木曜日に開催していた。

当時、私は会社員。そこに集まるメンバーと、自分の会社の仕事、社外の仕事、ボランティア、趣味など、ステージを問わず、自分の命の炎を燃やす活動とは何かについて、それぞれ考えて話し合っていた。

そこで得たヒントをもとに、実行に移し、協賛をとりつけて成功させた企画も誕生した。

当時は私も含め、中途半端な自分を変えたい、あるいは自分にしかできないことを成し遂げたいという思いを抱えて悶々としている人が半数以上を占めていた。そして10年以上たった今、参加者の大半の人間がやりたいことを実現し、活躍しているのだ。

なぜそんな奇跡が起きたのか？

それは「夢を口にし、みんなでアイデアを出し合い応援し合ったから」である。たったこれだけのことで、夢がかなってしまうのはおかしいと思うだろうか。しかしこれだけのことを「継続する」ことで、夢はかなりの確率でかなう。

最後にひと言、言わせてほしい。おかしいのは「これだけで夢がかなう」と断言する私の頭ではない。そんなことも知らない世間の人々のほうなのである。

夢を口にできない、人の夢を応援できない、それどころか人の足を引っ張る……そんな世の中がおかしいのだ。

守るべきものを守れているのなら、最低限の生活をしているのなら、夢のひとつも語ればいいじゃないか。バカになってもっと夢を見よう。語らおう。

そして1センチでもいいので、自分らしさに近づこう。

今私は毎月第3日曜日に「やりたいことを探す」「夢の挑戦を応援し合う」という『自由人生塾』なるものを開催している。これもまた周囲から「みんな夢どころじゃないんだよ〜」「本当に人が集まるの?」と揶揄《やゆ》されている。

しかしこの会を私は真剣に運営している。

そして、毎月、自分の「やりたいこと探し」や、夢実現のために、メンバーが全国の会場に集っている。

「もっとも夢の実現に近づいた人」に向けた賞品・賞金つきのアワードを毎年実行している。現時点ではスポンサーも何もついていないから僕のポケットマネーから捻出した。

ビジネスとして成り立っていないという指摘をたびたび受けるが、それでいいと思っている。税金を払うとき、いつも世の中をよくするための「寄付金」だと思って払っているのだが、それよりももっと有意義だと自負している。

この会からたくさんの「夢の成功者」が生まれ、世の中を愉快にしてくれれば本望だ。

そんな愛すべきバカな男たちを、大バカ者の私が責任を持って応援し続けたいと思う。

本書を読み終えたあなたからの朗報を待っている。
私はあなたの人生が愉快になるよう心から応援している。

バカな夢が男の人生を愉快にする

本書は、小社より刊行した同名の文庫本を大幅に
加筆・修正したうえ、再編集したものです。

「バカになれる男《おとこ》」の魅力《みりょく》

著　者――潮凪洋介（しおなぎ・ようすけ）

発行者――押鐘太陽

発行所――株式会社三笠書房

〒102-0072 東京都千代田区飯田橋3-3-1

電話：(03)5226-5734（営業部）

：(03)5226-5731（編集部）

http://www.mikasashobo.co.jp

印　刷――誠宏印刷

製　本――若林製本工場

編集責任者　長澤義文

ISBN978-4-8379-2550-7 C0030